# Théorie
# des genres

G. Genette, H. R. Jauss
J.-M. Schaeffer, R. Scholes
W. D. Stempel, K. Viëtor

# Théorie
# des genres

Éditions du Seuil

Le présent recueil a été réalisé sous la direction
de Gérard Genette et Tzvetan Todorov

EN COUVERTURE
*Aristote contemplant le buste d'Homère*
Metropolitan Museum of Art.
New York. Archives Edimedia

ISBN 2-02-009047-3.

# *Présentation*

Ce volume rassemble six études consacrées à la question des genres littéraires, qui fut pendant des siècles — d'Aristote à Hegel — l'objet central de la poétique et qui n'a, temporairement et partiellement, déserté le champ des études littéraires que pendant un siècle d'effacement relatif de la poétique elle-même au profit d'une approche historiciste et positiviste, pour laquelle rien ne devait être considéré au-delà des individus, des œuvres singulières et des circonstances empiriques — oubliant apparemment que rien n'est plus profondément historique, en art et en littérature comme peut-être ailleurs, que l'émergence, le succès, la permanence ou le dépérissement d'une tradition.

Le renouveau de la théorie littéraire ne pouvait manquer de passer, entre autres, par une redécouverte de cette question, puisque toute démarche théorique implique un dépassement des faits singuliers vers la recherche de traits généraux. Les « genres » traditionnels n'épuisent certes pas la liste de ces catégories transcendantes, mais ils y figurent, à la place bien particulière que leur assigne une définition presque toujours à la fois thématique, modale et formelle. Cette convergence de traits de natures aussi différentes qu'un aspect de l'existence, un type de représentation, un choix de mètre, de style, voire de dialecte ou de langue, fait du phénomène générique, malgré toutes les dénégations, un constant objet de fascination et d'interrogation pour qui s'attache à la signification anthropologique et à la portée esthétique du fait littéraire.

Les études qui suivent témoignent à la fois de cette permanence et de ce renouveau. Elles envisagent la théorie des genres sous des aspects fort divers : typologique, historique, dynamique, du point de vue de la création, de la réception, et du commentaire. Leurs dates de première publication s'étagent sur un demi-siècle, mais un jeu serré de rappels et de références établit entre elles, fût-ce parfois sur le mode de la controverse, une évidente continuité de pensée, dont leur présent regroupement accroîtra sans nul doute la résonance et l'efficacité.

# Karl Viëtor

# *L'histoire des genres littéraires* *

Il faut tout d'abord s'entendre, d'un mot, sur la terminologie. Dans le débat scientifique qui s'est instauré, au cours de la dernière décennie, sur les rapports des genres littéraires entre

* Cet essai a d'abord paru en 1931 dans le volume IX du *Deutscher Vierteljahrsschrift für Literaturwissenschaft und Geistesgeschichte,* sous le titre « Problèmes de l'histoire des genres littéraires ». Il conduit jusqu'à leur terme les réflexions qui étaient nées de mon travail sur l'histoire de l'ode allemande, *Geschichte der deutschen Ode* (Munich, 1923). Les remarques préliminaires de ce livre forment comme le point de départ théorique de mon étude qui cherche à pénétrer plus avant dans une série de questions difficiles et complexes. Durant la dernière décennie, le problème du genre littéraire a du reste été débattu avec passion. Que l'on compare, par exemple, ce qui est dit à ce sujet dans l'œuvre de Julius Petersen, *Die Wissenschaft von der Dichtung.* Celle-ci fournit aussi une bibliographie des travaux consacrés à ce sujet (2ᵉ éd., Berlin, 1944, p. 602). Je cite en guise de complément quelques autres titres : F. Brunetière, « La doctrine évolutive et l'histoire de la littérature », *Études critiques sur l'histoire de la littérature française,* 6ᵉ série, Paris, 1899 ; L. John Erskine, *The Kinds of Poetry,* Indianapolis, 1920 ; E. Cassirer, *Goethe und die geschichtliche Welt,* Berlin, 1932, p. 27 *sq.* ; R. Petsch, « Goethe und die Naturformen der Dichtung », *Dichtung und Forschung,* Festschrift für E. Ermatinger, Frauenfeld, 1933, p. 45 *sq.* ; R. Koskimies, *Theorie des Romans, Annales Academiae Scientiarum Fennicae,* B, XXXV, I, Helsinki, 1935 ; *les Genres littéraires,* résumés des communications faites au 3ᵉ Congrès international d'Histoire littéraire moderne, *Helicon,* 1939 ; Irene Behrens, « Die Lehre von der Einteilung der Dichtkunst », *Beihefte zur Zeitschrift für romanische Philologie,* nº 92, Halle, 1940 ; George N. Shuster, *The*

eux, le concept de « genre » n'a pas un emploi aussi unifié qu'il
le faudrait pour qu'on progresse enfin sur ce terrain difficile.
Ainsi, l'on parle de l'épopée, de la poésie lyrique et du drame
comme des trois grands *genres ;* et, en même temps, la nouvelle,
la comédie et l'ode sont aussi appelés des *genres.* Un seul
concept doit donc embrasser deux sortes de choses différentes.
Mais, si l'on veut être clair et conséquent, il faudra bien limiter
la dénomination à l'une des deux. Par suite si l'on doit appeler
« genre » la poésie lyrique prise comme un tout, on devrait
nommer l'élégie, l'hymne, le sonnet, la chanson, l'ode, etc., des
*espèces,* de même que, depuis le XVIII$^e$ siècle, les sciences
naturelles distinguent entre le *genus* pris comme l'unité la plus
large et la *species* prise comme un sous-groupe. Je suis pourtant
d'avis (et j'ai procédé en ce sens pour organiser ma *Geschichte
der deutschen Literatur nach Gattungen*) qu'il est plus correct et
plus clair de limiter le concept de « genre » à ces « espèces » ; du
reste, Linné a, lui aussi, dans les systématisations scientifiques
qu'il a faites, baptisé les espèces du nom de « genres ».
L'épopée, la poésie lyrique et le drame ne sont pourtant ni des
œuvres spontanées, ni des œuvres construites, ni des mises en
forme : ce sont les *attitudes fondamentales* de mise en forme, les
dernières auxquelles on puisse aboutir. C'est ainsi que je
comprends les phrases de Goethe dans ses *Notes et Dissertations
pour servir à l'intelligence du « Divan occidental-oriental »,*
récemment remises en lumière. Goethe n'y emploie absolument
pas la dénomination de « genre » *(Gattung),* mais il nomme la
ballade, l'épigramme, le récit, l'ode, la satire, etc., des
« espèces poétiques » *(Dichtarten),* et, pour cette raison, l'épo-

---

*English Ode from Milton to Keats,* New York, 1940 ; F. Beissner,
*Geschichte der deutschen Elegie,* Berlin, 1941 ; J. Schwarz, « Vom
Lebenssinn der Dichtungsgattungen », *Dichtung und Volkstum,* 42,
1942, p. 93 *sq. ;* E. Staiger, *Grundbegriffe der Poetik,* Zurich, 1946,
p. 93 *sq. ;* E. Williamson, « Form and Content in the Development of
the Italian Renaissance Ode », *PMLA,* 65, 1950, p. 550 *sq.* (Note
de l'auteur, pour la reprise de cet article dans *Geist und Form,* Francke, Berne, 1952, p. 292-309 ; traduit ici avec l'autorisation de l'éditeur.)
    Traduction publiée dans *Poétique,* 32, 1977.

pée, la poésie lyrique et le drame des « formes naturelles *(Naturformen)* de la poésie » :

> Il n'y a que trois véritables formes naturelles de poésie : l'une qui raconte clairement, une autre qui s'exalte et s'enthousiasme, une troisième qui agit personnellement. Ces trois modes poétiques peuvent agir ensemble ou séparément (« Trois sortes de poésie », *J(ubiläum)-A(usgabe)*, 5, p. 223)[1].

Cela me paraît être la vue et la dénomination correctes. Étant les trois grands domaines de la même et unique poésie, ils se fondent sur trois attitudes fondamentales du poète, attitudes naturelles et ultimes, attitudes non à l'égard de l'objet esthétique ni du public, mais, de façon plus élémentaire, attitudes fondamentales de l'humain à l'égard de la réalité, attitudes pour s'assurer la maîtrise de la réalité dans l'action et la réaction. Le chemin qu'a pris Robert Hartl pour saisir ces phénomènes (*Versuch einer psychologischen Grundlegung der Dichtungsgattungen*, Vienne, 1924) me paraît en soi viable. Car ici aussi l'idée conductrice consiste à reconnaître que de telles positions fondamentales de l'être humain vis-à-vis du monde sont précisément les racines des trois « formes naturelles » de la poésie. Hartl parle bien sûr de « formes de l'expérience » et reste délibérément dans le domaine des concepts et des vues spécifiques de la psychologie. Pourtant, lorsqu'il s'inspire de la distinction faite par Kant des trois « fondements » de l'âme et rapporte le drame à la « faculté de désirer », l'épopée à la « faculté de connaître » et la poésie lyrique à la « sensation », ses propos recèlent une vue correcte des choses. C'est une réaction chaque fois différente de l'homme vis-à-vis de la réalité que lui livre l'expérience qui fonde en effet ces trois domaines

---

1. Que l'on compare aussi à ce que dit Goethe dans son commentaire des *Adelchi* de Manzoni, à propos de ce passage du *Divan*, *JA*, 38, p. 66.
   Le traducteur utilise ici la version donnée par Henri Lichtenberger : cf. Goethe, *Divan occidental-oriental*, Paris, Aubier, 1940, p. 377, en traduisant toutefois *Dichtweisen* par « modes poétiques » et non par « genres » *(Gattungen)*.

des formes poétiques : réactions ultimes, réponses créatrices, qui correspondent à l'organisation élémentaire de l'homme. Le drame correspond à l'homme en tant qu'il est un être de désir et d'action, il lui correspond en tant qu'à l' « être qui veut » (Schiller) ; l'épopée lui correspond en tant qu'il est un être qui connaît et qui contemple, le lyrisme en tant qu'il est un être de sentiment, voué à s'exprimer. Dans ces trois sortes de comportement à l'égard de la réalité s'enracinent les trois « formes naturelles » de la poésie. A quoi il faut ajouter tout de suite que ces trois natures sont en rapport entre elles dans leur vie et que, tout comme les sortes de comportement humain à l'égard du monde peuvent « agir » de concert dans un seul des actes accomplis dans la vie, les trois modes poétiques peuvent agir ensemble dans une seule et même œuvre :

> Dans la plus petite poésie on les trouve souvent unis et, par cette réunion dans le plus étroit espace, ils donnent naissance à des ouvrages magnifiques comme nous l'observons distinctement dans les meilleures ballades dè tous les peuples (*ibid.*).

Cette distinction des trois domaines poétiques ou des trois formes naturelles, selon les dispositions fondamentales de l'être humain et le cours qu'elles suivent dans le rapport vivant qui les lie à la réalité, est des plus utiles comme point de départ parce qu'elle est vraiment élémentaire et, de ce fait, libre de tout point de vue spécialisé, systématique ou empruntant ses classifications à telle ou telle conception du monde. Cette distinction *précède* aussi les classifications plus fines d'une poétique au sens strict[2]. Même les principaux procédés de l'esthétique de ces deux

---

2. La distinction des techniques particulières de présentation qui sert de point de départ au livre d'Ernst Hirt, *Das Formgesetz der epischen, dramatischen und lyrischen Dichtung* (Leipzig, 1923), ouvrage riche d'idées et d'observations mais, quant au système, très confus, me paraît une distinction secondaire. Car ces techniques de présentation résultent seulement du rapport qu'il y a entre ce que j'appelle attitudes fondamentales et la situation historique de la littérature à l'époque considérée. Et les « formes d'expérience » typiques, que Hirt veut saisir

derniers siècles — dans la mesure où l'on partait de l'impression et de l'influence exercées par le chef-d'œuvre ou, en sens opposé, de la « faculté esthétique de créer » (Dilthey) —, même ces questionnements ne peuvent, rapportés aux trois grandes formes naturelles du comportement humain face à la réalité et aux « formes naturelles de la poésie » qui leur correspondent, subsister qu'à condition de supposer d'abord l'existence de pareilles déterminations, de déterminations anthropologiques, pourrait-on dire.

Nous ne développerons pas davantage ces considérations. Il s'agissait seulement de poser ce que nous entendons par genre dans les développements qui vont suivre et qui veulent s'occuper des problèmes de l'*histoire* des genres littéraires ; et de dire pourquoi ce concept doit être utilisé seulement pour les formes individuelles en lesquelles se subdivisent les trois grands domaines poétiques.

Les genres littéraires sont des produits artistiques dont l'origine historique est des plus obscures. On pourrait dire que dans cette sorte de produits génériques s'est opérée, entre des contenus déterminés et des éléments formels déterminés, une liaison qui représente une solution optimale aux problèmes, sans cesse renaissants, de la mise en forme ; aussi cette liaison aurait-elle acquis la force de la tradition. Ce qui ne veut pas dire que toutes les difficultés techniques de la mise en forme poétique sont réglées une fois pour toutes. L'impulsion à mettre en forme se renouvelle sans cesse, et se vit toujours comme un acte originaire et unique ; mais elle trouve dans la tradition littéraire des ouvrages formels qui ont été créés et développés

---

à l'aide de notions comme naïf, sentimental, ironique, pathétique, factuel, etc., ne sont utilisables que pour classer systématiquement des *genres* et non pour définir des « formes naturelles ». Du reste, Hirt dit lui-même que ces trois sortes naturelles de poésie ne sont pas seulement des techniques mais qu'elles correspondent à « trois attitudes spirituelles fondamentalement différentes » (p. 6).

par une impulsion à la mise en forme, parente de la précédente, et qui guidait d'autres artistes aux prises avec des problèmes analogues dans d'autres situations historiques. La parenté des problèmes et de la volonté de mise en forme a cet effet que l'influx nouveau débouche sur cette tradition des formes ; mais la singularité individuelle et historique a en même temps cet effet que l'auteur ne peut laisser ces ouvrages formels dans l'état où ils lui sont transmis. Pénétrés du nouvel influx, ils sont transformés, mais sans perdre leur particularité : c'est pourquoi il existe une histoire des genres. L'ampleur de cette transformation est, à son tour, historiquement conditionnée. On sait quel pouvoir exerçaient, dans les littératures antiques, la tradition et la forme canonique, trans-individuelle, des ouvrages que la tradition préservait (voir, à ce sujet, Franz Dornseiff, *Pindars Stil,* Berlin, 1921, p. 2) et combien, par ailleurs, depuis le romantisme, l'élément formel qui se rattache au genre n'a cessé, dans la poésie allemande, de perdre en importance. Ici comme ailleurs, une poésie de l'expérience pleinement subjective s'est de plus en plus écartée de la tradition formelle. Des analogies s'imposent avec des phénomènes pris dans d'autres domaines culturels. Mais ce déclin des genres littéraires à l'époque moderne ne constitue pas l'état normal de l'histoire de la littérature occidentale, il n'est qu'un de ses chapitres parmi d'autres. A ne considérer que les conditions du dernier demi-siècle, on peut bien avoir l'impression que les genres ne sont plus une réalité vivante pour la poésie allemande contemporaine. Mais ce processus de dissolution n'a guère commencé qu'il y a un siècle. Celui qui écrit l'histoire des âges précédents doit en tout cas absolument compter avec les genres envisagés comme des réalités esthétiques. Du reste, la poésie actuelle montre à plus d'un symptôme que l'intérêt pour les données objectives des genres est en train de se réveiller.

La question de savoir si, pour les littératures de l'Occident moderne, des présentations selon l'histoire des genres peuvent avoir un intérêt ou s'il ne s'agit, comme le pense Benedetto Croce, que de faux problèmes peut être considérée comme tranchée, quand ce ne serait que par l'existence de ce type d'études, éminemment caractéristiques de l'histoire littéraire allemande. Je ne crois pas en tout cas qu'on puisse dire qu'elles visent un objet inexistant ou qu'elles s'occupent d'un inconnaissable. Mais ces essais pour composer une histoire des genres se sont tout naturellement heurtés à des problèmes de méthode qui ne sont devenus visibles qu'une fois touchés par le pinceau du projecteur des nouvelles questions. C'est d'eux qu'il sera question ici.

La première question doit forcément concerner le problème de fond : de quoi est fait un genre littéraire, de quels éléments il tire son fondement et aussi sa particularité par rapport à l'ensemble des phénomènes esthétiques. Il paraît aussitôt douteux qu'on puisse découvrir, dans cette catégorie, un élément unique. Ce sont des marques formelles, devrait-on penser du reste, qui caractérisent nécessairement et principalement le genre. Dans ses « Bemerkungen zur Gattungspoetik » (*Philosophischer Anzeiger,* 3e année, 1929, p. 129), qui ont fait avancer le plus loin la discussion de ces problèmes, Günther Müller semble partager ce point de vue :

> Mais qu'est-ce qui détermine alors l'appartenance à un genre des différentes structures qui relèvent d'un genre ? Il semble bien que ce ne soit pas autre chose que la forme [...]. Risquons donc, à titre d'hypothèse, la supposition que les genres désignent un cercle de possibilités formelles (p. 147).

Mais qu'appelle-t-on forme dans ce cas ? Les éléments formels extérieurs, par exemple des vers et une strophe déterminés ? Ou bien aussi la forme interne, une construction caractéristique, une façon déterminée d'organiser l'œuvre poétique ? Les deux formes, doit-on croire, sont à prendre en compte comme éléments fondateurs du genre. Shaftesbury affirme quelque part :

> L'on sait qu'à chaque genre de poésie sont assignées des conditions et des limites naturelles. Et, de fait, ce serait

donner dans une absurdité grossière si l'on se figurait
qu'il n'est rien dans un poème, les vers mis à part, qui se
puisse nommer mesure ou *numerus*. Une élégie et une
épigramme ont toutes deux leur propre mesure et proportion, tout autant qu'une tragédie ou une chanson de geste
(*The Judgement of Hercules*, cité d'après l'édition allemande des *Philos. Werke* de Shaftesbury, Leipzig, 1776-
1779, vol. III, p. 482).

Il importe à Shaftesbury de faire passer son concept de « forme
interne », « son idée fondamentale selon laquelle une stricte
légalité formelle, déterminée par un élément spirituel de base,
doit régner »[3]. Ce qui est affirmé par là, c'est que personne ne
voudra définir la tragédie ou l'épopée en fonction des caractéristiques de leur forme prosodique. A l'époque de la tragédie
bourgeoise tout au moins, on ne peut plus demander à une
tragédie, quand bien même elle prétendrait à la première place
dans ce genre, d'être écrite en vers. Mais si la tragédie ne se
reconnaît plus à ce qu'elle est un drame en vers, il est nécessaire
que ce dont elle tire sa mise en forme artistique en général et son
caractère de genre particulier soit autre chose que la forme
prosodique. Une tragédie peut être en vers, mais ce n'est pas
d'abord par là qu'elle est une construction artistique et ce n'est
pas d'abord en cela qu'elle possède forme. Et puisqu'une
tragédie détient tout de même une certaine espèce de particularité poétique et qu'elle doit bien se distinguer, comme « tragédie », des autres pièces grâce à un certain élément, sa qualité
distinctive ne peut résider qu'en une forme non exprimée par le
matériau verbal, une « forme interne ». Et réciproquement.
Des genres qu'on a coutume de reconnaître à une prosodie
caractéristique, telle l'élégie ou l'épigramme antiques, ne peuvent, selon Shaftesbury, être faits de ce seul élément. L'élégie
antique est en distiques, mais cette forme de vers n'organise pas
à elle seule la physionomie du genre. Il y faut de surcroît,
comme élément constitutif, la présence d'une « proportion »

3. O. Walzel ; il cite ce passage de Shaftesbury dans l'introduction au
vol. 36, p. xxxii, de l'édition du Jubilé des œuvres de Goethe.

particulière à l'élégie, l'obéissance à une loi formelle d'une autre espèce.

Pour autant, la forme prosodique en général est-elle devenue un facteur inessentiel dans la caractérisation du genre ? Forme de vers significative de l'élégie, le distique est certes tout d'abord une composante de la tradition et de l'accoutumance historiques. Mais comment cette forme eût-elle pu s'imposer et durer si longtemps, y compris dans les littératures occidentales, si d'une manière ou d'une autre elle ne convenait pas à l' « élément spirituel de base » et à la forme interne ? De tels phénomènes ne s'expliquent pas par l'arbitraire des goûts. Il faut bien que la « convenance » susdite ait un lien avec quelque chose. Cependant, il est, dans les littératures européennes modernes, bien des élégies en strophes rimées et, parmi elles, des poèmes qui, loin de porter à tort cette antique dénomination de genre, ont sans nul doute le « ton » élégiaque véritable. *La Grèce,* élégie de jeunesse d'Hölderlin, en est un exemple. Par conséquent, même si la forme prosodique des distiques est la plus fréquente dans l'histoire de l'élégie, elle peut ne pas faire d'un poème une élégie. D'ailleurs, il existe aussi d'autres genres, l'épigramme par exemple, qui sont d'ordinaire en distiques et qui pourtant n'ont rien à voir avec le « ton » et le contenu de l'élégie. Aussi la définition : « les élégies sont des poèmes en distiques » serait-elle historiquement fausse, bien qu'il soit historiquement juste d'énoncer que la plupart des élégies sont en distiques. Mais l'expérience historique laisse à tout le moins entendre que la forme prosodique de l'élégie antique correspond en quelque sorte particulièrement bien à la forme interne propre à l'élégie, qu'elle lui convient particulièrement. C'est là tout ce qu'on peut affirmer ; on ne peut en revanche définir l'élégie en partant du mètre. Dans le choix de la forme prosodique, il s'agit d'une question de mise en forme parmi d'autres, question à coup sûr d'une importance extrême pour l'artiste, mais il ne s'agit pas encore du problème du genre. Car le genre n'est ni simplement celé dans la forme prosodique, ni directement constitué par elle ; les choses n'en vont point ainsi.

Il existe toutefois, je l'ai dit, un rapport entre la caractéristique du genre, les éléments qui la fondent et ces formes. Goethe constate :

> Les différentes formes poétiques détiennent de mystérieuses et considérables capacités d'action. Si l'on voulait transposer le contenu de mes *Élégies romaines* dans le ton et le mètre du *Don Juan* de Byron, ce que j'y ai dit aurait forcément l'air tout à fait impie (Eckermann, *Conversations avec Goethe,* H. H. Houben (éd.), Leipzig, 1909, p. 71) ;

et :

> Nous avons eu l'occasion ces jours-ci également de débattre beaucoup de ce qui va et de ce qui ne va pas dans une forme prosodique donnée. C'est presque un tour de magie, vraiment, qu'une chose excellente et caractéristique dans un mètre donné paraisse creuse et insupportable quand elle est dans un autre (*Voyage en Suisse,* 1797, E.J., t. 29, p. 9).

Dans une forme prosodique déterminée, tout ne « va » pas : du fait qu'elle est un des éléments porteurs de forme, elle possède une caractéristique d'expression, une valeur d'expression déterminée, un « ton » déterminé qui doivent obligatoirement répondre à ce qui doit être exprimé, à ce qui est le contenu de l'œuvre [4]. Mais tout cela n'a de rapport avec la caractéristique du genre, auquel l'œuvre appartient, que sur un point : certaines formes prosodiques conviennent justement mieux que d'autres. Mais ce n'est pas cela, on l'a dit, qui fait le genre.

Le sonnet paraît en quelque sorte une exception. Au moins

---

4. Il s'agit ici de questions générales sur le style, du changement historique des moyens d'expression et des causes qui le provoquent. Intéressantes sont les remarques faites à ce sujet par Schiller dans sa lettre à Körner du 10 mars 1789. Il veut écrire une épopée moderne qui prendrait pour héros Frédéric le Grand. Quelle forme prosodique doit-il choisir pour cette « Frédériciade » ? « Un poème épique au XVIII<sup>e</sup> siècle doit être tout à fait différent d'une épopée quand le monde était dans

une succession stricte de formes strophiques strictes y est-elle prescrite ; un poème où les strophes ne se suivent pas dans l'ordre de deux quatrains et de deux tercets *n'est pas* un sonnet. De plus, le sonnet se caractérise par un emploi particulièrement ingénieux des rimes. Pourtant, à l'intérieur des strophes, la disposition des rimes et leur liaison sont libres, bien qu'il existe sur ce point des solutions classiques. Il en va de même pour d'autres genres poétiques en langues romanes. Toutefois, même dans ce cas, la forme prosodique ne fait pas le genre à elle toute seule. Une « forme interne » doit s'y ajouter et répondre au groupement externe : c'est une structure liée au sonnet et qui consiste dans la réunion, destinée à former un tout, de deux composantes formelles dissemblables et dans l'exigence, propre à ce type de construction, d'un rapport de contenu bien déterminé entre les deux groupes, du moins dans le cas du sonnet classique. L'indéniable tension dialectique qui réside dans cet agencement des strophes, dans la « forme pure » du sonnet, il faut que l'auteur de sonnets la résolve aussi quant au contenu. Les grands poètes l'ont fait. C'est que le caractère propre du sonnet semble se réaliser d'abord dans le fait qu'il donne à la fois le sentiment et la maîtrise intellectuelle sur le sentiment ; et c'est à partir de là qu'on peut aussi comprendre que tant de sonnets prêtent à la fois une expression et une conscience aux sentiments. Dans un Appendice à la *Philosophie du sonnet* d'A. W. Schlegel, j'ai tenté de définir ainsi cette liaison particulière de la forme externe, de la forme interne et du contenu approprié au sonnet :

> Cette stricte articulation interdit d'exprimer des senti-
> ments vagues, alors qu'une pensée résolue paraît tout à
> fait appropriée. C'est une plénitude enfermée dans des

---

l'enfance [...] », un autre contenu historique réclame une forme autre, forme interne et forme prosodique, que celle de la tradition antique. Tous deux doivent trouver à se « convenir ». C'est pourquoi Schiller se décide pour les stances. Mais ce choix n'affecte pas l'élément générique, l'épicité de l'épopée.

contraintes qui produit la signification la plus noble du
sonnet, celle de l'expression concise d'une sensation
puissante et d'un esprit profond adonné à la réflexion.
D'autres genres lyriques ont aussi pour trait essentiel
cette unification de l'esprit et de la sensation, de la pensée
et du sentiment : par exemple l'ode ; mais dans le sonnet
cette plénitude est plus ramassée, plus serrée et plus
prononcée dans ses conditions particulières de tension et
de résolution, qu'elle ne l'est partout ailleurs. « La
tendance du sonnet à finir sur une maxime s'explique
aisément aussi à partir de sa nature »[5].

Cette tension dialectique est donc, du point de vue du genre,
constitutive du sonnet. On serait en droit de croire qu'un « geste
formel » interne de cette sorte a été le créateur de cette
succession particulière de strophes, avec ses deux moitiés
dissemblables composées chaque fois de deux strophes et sa
tension unifiante pour embrasser le tout ; on serait en droit de
présumer que le sonnet est né d'une volonté semblable d'expression et de mise en forme. Alors ce serait justement cette
unification et cette tension de la réflexion ramassée et du
sentiment contraint qui auraient développé la forme et qui la
rempliraient sans cesse. Et ce qui fait le genre, ce serait donc en
définitive, dans le cas de ce genre lyrique, le plus clair et le plus
strict qui soit à ce jour, et aussi ailleurs, un contenu d'une espèce
déterminée ?

Seulement, le même contenu est propre aussi à l'ode[6] ; elle
aussi ne fait qu'un de la sensation et de la réflexion. Et n'en va-
t-il pas de même avec l'élégie ? Il n'y a que le lied et l'hymne où
l'expression du sentiment paraisse l'emporter alors que tout ce
qui est idée ou pensée y paraît moins adapté. Mais quand bien
même le sonnet, l'ode et l'élégie ne concordent que sur un seul
point : être en même temps poésie de l'idée et poésie du
sentiment, et développer ensemble la pensée et le sentiment à

5. Extrait de la postface de mon anthologie *Deutsche Sonette aus vier Jahrhunderten*, Berlin, 1926, p. 157.
6. Cf. ma *Geschichte der deutschen Ode, op. cit.*, p. 175.

partir du chant sur un unique objet et dans l'unité du poème, ce n'est justement pas ce point commun qui peut être le trait constitutif de chacun des trois genres. En tentant de définir le genre à partir du contenu, nous avons atteint un élément ultime et général ; les particularités qui distinguent les genres entre eux semblent s'y effacer totalement. « Car les connaissances perdent toujours en précision du contenu ce qu'elles gagnent en extension » (Schiller). Mais dans la réalité individuelle de chaque poème particulier, les choses se passent bien autrement. C'est le fait d'opérer cette liaison entre une conscience qui réfléchit et des sentiments élevés qui réunit le sonnet, l'élégie et l'ode et qui, en regard de la totalité des genres lyriques, fait d'eux un groupe d'un caractère artistique très affirmé. Mais ce qui les distingue les uns des autres au sein de cette dernière communauté, c'est la combinaison structurale à chaque cas particulière, les rapports de tension et d'influence où se trouvent placés, dans chacun de ces trois genres, les complexes faits de forces intellectuelles, d'éléments pulsionnels et de sentiments. Cette structure est différente selon les cas. Et c'est pourquoi l'on ne peut saisir ce qui, dans l'ode, le sonnet ou l'élégie, relève spécifiquement du genre que si l'on parvient d'abord à définir quelque chose comme une structure individuelle.

Si je peux me risquer à définir, de façon provisoire et tout hypothétique, ces particularités de genre, je dirai en gros ceci : le sonnet résout la tension entre la sphère de l'esprit et celle du sentiment en visant à une synthèse et à une solution au terme d'un parcours des positions dialectiques. L'ode résout cette tension en essayant de la surmonter du point de vue de l'esprit ; d'où son ton plein de sérieux et de dignité. L'élégie enfin (dans sa variété moderne, sentimentale, seulement, bien entendu, puisque la dénomination antique du genre, qui recouvre des poèmes hétérogènes quant au contenu, est liée, comme on sait, à la seule forme prosodique) maintient cette tension sans la résoudre ; elle balance, comme le dit Schiller, entre le conflit et l'harmonie, la tranquillité et le mouvement, mais sur le rythme modéré et adouci qui correspond aux proportions du mètre. Sans vouloir affirmer que ces définitions sont d'une exactitude

absolue, il m'est permis de croire que j'ai ainsi clairement
montré la direction que devrait prendre, à mon avis, l'essai de
fonder une nouvelle poétique des genres. L'élément proprement générique, j'y insiste, ne peut donc consister que dans une
forme interne ; mais d'une façon telle que les contenus les plus
significatifs pour un genre, comme par ailleurs sa forme
prosodique caractéristique, sont liés à cette structure particulière d'une façon qu'il faut étudier plus avant. Et ce sont ces
trois choses : le contenu spécifique, la forme interne et la forme
externe, toutes deux spécifiques, qui, seulement quand on les
prend ensemble, dans leur unité spécifique, font « le » genre.
Lorsque Günther Müller déclare que les genres dessinent un
cercle de possibilités formelles (*op. cit.,* p. 147), cela ne vaut que
si l'on entend : un cercle de possibilités formelles à l'intérieur
d'un contenu doté d'une structure particulière. Le cercle est
ainsi limité par un contenu doté d'une structure particulière qui,
lorsqu'il veut s'exprimer dans un poème, se décide précisément
pour tel ou tel genre sans laisser ce choix au hasard. En vertu de
leur disposition structurale, des contenus déterminés ont déjà
une aptitude naturelle pour le genre du sonnet, de l'élégie ou de
l'ode. Les exemples les plus significatifs dans l'histoire des
genres montrent que c'est en fonction de tels rapports —
rapports objectifs, qui demandent à être découverts et ne
peuvent arbitrairement se substituer les uns aux autres, si
toutefois le poème doit atteindre la perfection — que se décide
l'instinct créateur du poète. Ce sont ces problèmes que l'esthétique du genre devrait éclaircir. Jusqu'à présent, on trouve
davantage, et mieux, à ce sujet dans les déclarations des auteurs
eux-mêmes que dans les écrits des esthéticiens. Surtout aux
époques de l'histoire de la littérature, où l'on tenait à la pureté
du genre[7]. Mais même au théoricien ces questions sont d'un
accès facile. Pourquoi une expérience déterminée trouve-t-elle

---

7. Schiller, lettre à Körner du 10 mars 1789 : « On pousse l'entête-
ment (et peut-être n'a-t-on pas tort) jusqu'à contester à une œuvre d'art
qu'elle soit classique, si son *genre* n'est pas déterminé de la façon la plus
précise »

dans un sonnet et non dans une ode sa forme appropriée ? Bien sûr, l'instinct du poète sera à même d'en décider plus facilement que le savoir du théoricien ne saura discerner le problème. Mais prenons un exemple plus sommaire : il saute tout de même aux yeux que le contenu du poème « Sur tous les sommets, le repos [8] » ne pourrait sans une modification profonde épouser la forme du sonnet ; ou encore : voudrait-on se représenter comme une ode le lied « D'éclat vaporeux tu baignes/encor bois, vallon [9] » que son contenu serait complètement transformé (et pas seulement son ton, du fait de sa transposition dans un mètre différent). R. Petsch est bien de cet avis :

> Par ce mélange spécifique de contrainte et de liberté, qui vaut pour toute figuration poétique, les formes externes de la poésie s'accordent aux formes de mentalité et au mode de connaissance en général, mais elles s'accordent aussi volontiers (quoique, bien sûr, de façon non exclusive) à certains domaines thématiques et à certains ensembles de problèmes (*Philosophie der Literaturwissenschaft,* Berlin, 1930, p. 270).

Pourtant, lorsqu'il en donne pour exemple le fait qu'on ait si longtemps assigné à la tragédie les hauts faits et les souffrances des rois et à la comédie les folies de la condition bourgeoise, et que ce ne soit pas là un hasard, il s'agit alors d'autre chose. A l'évidence, ce n'est pas un hasard « ni l'effet de la seule histoire littéraire », mais bien celui de la sociologie. Seule la couche sociale qui détermine le goût des textes de théâtre peut aussi établir la nature des personnages représentés par le genre théâtral qui est la forme la plus haute du jeu sur l'existence humaine : la tragédie. Même la notion des « hauteurs d'où l'on choit » (chez Schopenhauer) serait à ranger ici comme un cas

8. Deux premiers vers du célèbre poème de Goethe, intitulé « Autre chant du voyageur la nuit » *(« Wandrers Nachtlied. Ein Gleiches »)* et composé le 6 septembre 1780 ; cf. Goethe, *Poésies,* vol. II, Paris, Aubier,1951, p. 119, trad. de Roger Ayrault *(NdT).*
9. Deux premiers vers du poème de Goethe « A la lune » *(« An den Mond »)* dans sa version définitive (parue en 1789) ; *ibid.,* p. 143 *(NdT).*

particulier. Les changements du caractère social des personnages tragiques résultent, comme le montre l'histoire de la
tragédie bourgeoise, de bouleversements de la vie sociale réelle,
bouleversements d'où procèdent des changements du public qui
donne le ton dans la littérature. A mon sens, on peut dire que de
telles choses n'ont rien à voir directement avec les particularités
élémentaires de la tragédie en tant que genre. La résistance
héroïque de l'être humain soumis à l'emprise du destin,
l'inexpiable conflit des valeurs, tous ces phénomènes qui
manifestent la nature antinomique de la vie ne paraissent liés à
un rang social que pour la pensée illusionniste de la couche
sociale dominante ; mais ils ne le sont pas aux yeux de
l'esthétique des genres. Les discussions dramaturgiques sur
l'influence de la tragédie, la question de savoir si elle excite
l'admiration ou la pitié, etc. dépendent pareillement de transformations historiques de cette sorte ; elles ne touchent pas à la
substance du genre. Ce sont des problèmes individuels de
l'*histoire* des genres, non de l'*esthétique* des genres ; l'affaire de
celle-ci, ce sont justement les éléments constitutifs de la
tragédie, ceux qui dans tout changement historique demeurent
identiques à eux-mêmes.


La question qui doit former le thème proprement dit de notre
enquête, à savoir la nature du rapport qui unit l'esthétique d'un
genre à son histoire, semble de prime abord appeler une
réponse simple. Ne va-t-il pas de soi, en effet, que l'esthétique
du genre, puisqu'elle fixe dans une définition la norme du genre,
doit précéder l'histoire du genre et lui fournir le concept faute
duquel celle-ci ne saisirait forcément que du vide ? La poétique
définit ce qu'est un lied, une nouvelle ou une comédie ; et, muni
de cette baguette de sourcier, on part explorer le terrain de
l'histoire. Voilà qui paraît être la seule voie possible et la seule
correcte. Mais d'où la poétique tire-t-elle son concept du genre ?
De l'histoire même du genre, bien entendu ; on ne peut pas
s'inventer un genre, il n'en existe pas non plus sous forme d'a
priori, sous forme d'idée innée. Mais n'existe-t-il pas du moins

un type du genre considéré, que l'on obtiendrait en prenant une
œuvre individuelle relevant de ce genre, et que l'on considère
comme particulièrement « pure », et en l'élevant au niveau d'un
type ? L'on pourrait aussi prendre comme typique du genre du
lied l'un des plus beaux lieder de Goethe et mesurer ensuite à
cette aune idéale toute la masse des poèmes qui ont été, au
cours de l'histoire, écrits sous la forme du lied : ceux qui s'y
conforment entreraient dans l'histoire du lied et ceux qui ne
veulent pas s'y conformer seraient rejetés comme étrangers au
genre. E. Ermatinger pense que, du genre à l'œuvre individuelle, il y a somme toute le même rapport que du type à la
forme individuelle (*Philosophie der Literaturwissenschaft, op.
cit.*, p. 371). Il s'en rapporte à Goethe sur ce point ; mais à tort,
me semble-t-il. Goethe entend par type anatomique du mammi-
fère un modèle général, « dans lequel les formes de tous les
animaux seraient, autant que possible, contenues ». Mais
Goethe n'a pas l'intention d'arriver à ce modèle typique par la
description schématique de quelques espèces particulières de
mammifères qui lui paraîtraient particulièrement réussies :

> La seule idée générale d'un type a pour conséquence
> qu'aucun animal individuel ne saurait être érigé en un tel
> élément de comparaison ; aucun individu ne peut servir
> de modèle au tout [...]. L'expérience doit d'abord nous
> apprendre quelles parties sont communes à tous les
> animaux et en quoi ces parties sont différentes. L'idée
> doit régner sur le tout et y décalquer de façon génétique
> le modèle général (J.A., t. 39, p. 140).

Par conséquent, aucun exemplaire particulier ne peut être le
type d'un genre. A partir de l'expérience seule, à partir de la
connaissance seule de l'ensemble des espèces animales, nous
pouvons nous élever à l'abstraction du schéma idéal. Et, « par la
voie génétique » seule, nous pouvons arriver à cette idée : mais
il nous faut la développer sur la réalité que nous explorons et à
mesure que notre expérience se développe. Transposé dans ce
qui nous occupe, cela voudrait dire : on obtient le type d'un

genre littéraire donné grâce à l'examen d'ensemble de toutes les
œuvres individuelles qui appartiennent à ce genre ; le type est
une abstraction, autrement dit c'est la définition, le schème
conceptuel de ce qui, pour ainsi dire, fait la structure fondamentale (qui n'existe que sous la forme de particularités pures), la
« généricité » du genre.

Il semble pourtant que nous nous heurtions à une difficulté
dont l'anatomie comparée, elle, n'a pas à tenir compte. Une
marque objective suffit à définir les espèces animales qui
appartiennent au genre des mammifères : qu'elles mettent au
monde et allaitent des petits. Mais où trouver dans les œuvres
littéraires une marque aussi simple ? Tout au plus en trouvera-t-
on pour les formes naturelles de la poésie. On pourrait dire, par
exemple, que toutes les œuvres qui demandent à être représentées et jouées par des interprètes appartiennent à la forme
« naturelle » dramatique ; la poésie lyrique et l'épopée ne
demandent pas de représentation. Mais c'est seulement après,
comme je l'ai expliqué, que commence le problème du genre.
Ce que sont, quant au genre, un drame, une tragédie, une
comédie, un spectacle de carnaval ou une Passion, on ne peut en
décider au moyen de caractéristiques aussi sommaires, dès
qu'on ne se contente plus de distinctions de pur classement, sans
signification esthétique (exemple : les comédies sont des pièces
à dénouement heureux, les Passions représentent les souffrances du Christ, etc.). De telles définitions, vides pour la
pensée esthétique, sont même pleinement impossibles pour les
genres lyriques. Par exemple, il est bien vrai qu'un lied est en
général un poème qui demande à être chanté, mais tous les
poèmes qu'on chante ne sont pas des lieder. Dans la littérature,
par conséquent, le matériel individuel, d'où le type générique
doit être tiré, ne s'ordonnerait pas du tout suivant des caractéristiques aussi simples. Au contraire, si les choses se passaient
comme Ermatinger se les représente, c'est en partant du type
qu'il faudrait décider quelles œuvres individuelles appartiennent
au genre considéré. Le type ne pourrait donc pas, dans ce cas,
sortir, comme chez Goethe, de l'expérience, mais il devrait la
précéder. Je ne vois pas d'où on le tirerait, à moins de prendre

une œuvre individuelle pour exemple parfait et de l'élever à la pureté d'un type générique. Mais une histoire du lied qui prendrait, disons, le lied de Goethe comme norme du genre aboutirait à déformer complètement le tableau historique. Il faudrait en écarter des siècles entiers, même si en réalité leur production de lieder a été riche. Il est clair qu'aucune pièce particulière ne peut représenter effectivement un genre. Günther Müller constate :

> Ce par quoi l'observateur reconnaît l'appartenance au genre, c'est le phénomène de « dépendance par rapport au lied ». Je combats l'idée qu'on puisse le saisir par principe sur un lied individuel, au moyen d'un regard idéisant (Husserl). Ce n'est pas dans le lied individuel, mais dans l'histoire du lied que se développe la « dépendance par rapport au lied » dans son ensemble (*Reallexikon der deutschen Literaturgeschichte*, II, p. 211).

et :

> Non seulement *le* lied a une histoire, mais encore il n'est réel que dans l'advenir historique de la littérature.

Ermatinger s'oppose à de telles considérations quand il poursuit, dans le passage déjà cité :

> Faire valoir contre le concept de genre poétique (épopée, drame, poésie lyrique avec leurs formes subordonnées), si on l'entend comme une force constitutive douée d'une orientation dont le sens est clair, qu'aucune œuvre n'accomplit en elle le type dans toute sa pureté, que l'œuvre épique et l'œuvre dramatique montrent en elles des éléments lyriques et vice versa, prouve seulement qu'on n'a, du point de vue logique, qu'une compréhension confuse de la notion de loi : même dans les sciences de la nature, le cas individuel ne recouvre jamais la définition de la loi et celle-ci ne s'accomplit jamais totalement dans la réalité.

Mais ce reproche laisserait intactes nos explications. Les trois formes naturelles élémentaires, ou modes poétiques, sont présentes, selon des proportions qui changent, dans presque toutes les œuvres, et cela va de soi. Goethe l'a déjà écrit dans sa note à propos du *Divan,* et l'essai de Julius Petersen, « Zur Lehre von den Dichtungsgattungen » (*Festschrift für A. Sauer,* Stuttgart, 1925, p. 72), entreprend de montrer systématiquement ces rapports. Mais quand on passe aux genres (ou, comme dit Ermatinger, aux formes subordonnées), il ne s'agit plus seulement, et il ne s'agit même pas pour commencer, de ce mélange entre l'épique, le lyrique et le dramatique ; mais de la singularité du genre, qui peut tenir entre autres à ce mélange, mais qui n'est pas créée par lui. Elle n'est pas une « loi », mais une structure ; partout fondatrice, elle ne se fige jamais en norme et ne coïncide nulle part avec une œuvre individuelle. On peut trouver que certaines œuvres contiennent l'élément générique avec plus de pureté relative que d'autres, mais on ne trouvera aucun moment dont on puisse dire que le « type » y est réalisé, le genre dans sa planitude, et son histoire parvenue à son accomplissement idéal. De même qu'on ne peut dire d'aucun tableau qu'il donne la solution idéale d'un problème pictural déterminé, au point de rendre inutile qu'on peigne d'autres tableaux de son espèce.

Schiller a dit une fois d'Aristote que, s'il avait pu découvrir et formuler les lois véritables de l'art, le bienfait en revenait à cette heureuse disposition du destin qui voulait « qu'il y eût à l'époque des œuvres d'art, qui [...] représentaient leur genre sur un cas individuel » (lettre à Goethe du 5 mai 1797). Dilthey remarque à ce sujet :

> C'est tout à fait la représentation anhistorique bien connue de l'idée qui se réalise sur un seul cas, ou du genre qui vient à se représenter en un seul exemplaire (*Die Einbildungskraft des Dichters, Schriften,* vol. 6, p. 113) [10].

10. Schiller écrit ailleurs avec plus de justesse : « Chaque matière veut sa propre forme et l'art consiste à lui trouver celle qui lui convient. L'idée d'une tragédie doit toujours être mobile et ne devenir et ne se présenter que *virtualiter* sous cent et mille formes possibles » (lettre à Körner, 28 juillet 1800). Mais G. Müller remarque avec raison que le genre n'est pas une idée (*Philos. Anzeiger,* III, p. 142).

A partir d'une telle représentation, on ne peut évidemment pas écrire l'histoire d'un genre littéraire. Mais alors selon quelle méthode le pourra-t-on ? Et si l'on veut, comme Günther Müller, commencer par dire que les résultats obtenus jusqu'à maintenant par l'histoire des genres littéraires fournissent la preuve que, « en pratique, il est jusqu'à un certain point possible d'écrire de l'histoire littéraire sans avoir au préalable éclairci les concepts fondamentaux et décisifs » (*Philos. Anzeiger*, III, p. 138) — on en trouverait bien sûr des exemples par ailleurs illustres —, il serait tout de même temps d'assurer des bases solides au problème méthodologique de l'histoire des genres.

Le problème le plus difficile, et aussi le problème décisif, le voici : *est-il possible d'écrire l'histoire des genres, quand aucune norme du genre ne peut être fixée au préalable,* et quand, au contraire, cette norme du genre ne peut être établie qu'après une vue d'ensemble sur toute la masse des œuvres individuelles apparues dans l'histoire ? Selon la formule de Müller :

> Tout historien des genres rencontre un dilemme : apparemment, nous ne pouvons décider de ce qui appartient à un genre, sans savoir déjà ce qui est générique, et pourtant nous ne pouvons savoir ce qui est générique sans reconnaître que tel ou tel élément appartient à un genre (*Philos. Anzeiger,* III, p. 136).

Ce n'est pas seulement *un* dilemme, c'est *le* dilemme de l'histoire des genres. Il semble qu'il y ait là effectivement un cercle dépourvu de toute issue. Mais il ne s'agit de rien d'autre que de la principale difficulté de *tout* art d'interprétation et du problème crucial de l'herméneutique. C'est encore Dilthey qui a saisi cette difficulté de façon magistrale :

> C'est à partir des mots séparés et de leurs liaisons que le tout d'une œuvre doit se comprendre, et pourtant la pleine compréhension de l'élément individuel présuppose déjà celle du tout. Ce cercle se reproduit dans le rapport qui unit l'œuvre individuelle à la forme d'esprit et à

l'évolution de son auteur, et de même il fait retour dans le rapport qui unit cette œuvre au genre littéraire dont elle fait partie [...]. Du point de vue théorique, on touche ici aux limites de toute interprétation : elle ne remplit jamais sa tâche que jusqu'à un certain point ; aussi toute compréhension demeure-t-elle toujours relative et ne s'achève-t-elle jamais complètement. *Individuum est ineffabile (Die Entstehung der Hermeneutik, Schriften,* vol. V, p. 330).

Dilthey cite expressément le rapport de l'œuvre individuelle au genre littéraire comme l'un des problèmes théoriquement insolubles de l'interprétation, et, en théorie, il paraît évidemment insoluble pour l'histoire des genres. Mais, dans la pratique de l'historien, il se résout, tout comme cette difficulté générale s'est toujours résolue dans la pratique de l'interprétation.

Georg Simmel en donne la description pour ce qui concerne le processus de la compréhension et de la reconstitution historiques en général *(Die Probleme der Geschichtsphilosophie,* 4<sup>e</sup> éd., Berlin, 1922, p. 26). L'historien ne dispose, pour évoquer une personnalité, que de manifestations individuelles, et ce n'est qu'à partir d'elles qu'il peut obtenir un portrait complet. Mais ces manifestations individuelles doivent être, grâce à l'interprétation, mises en ordre et rendues compréhensibles, ce qui ne peut se faire correctement que « sur la base d'une image d'ensemble, déjà présente, de cette personnalité ». La pratique devient de ce fait si habile que la première approche suffit à mettre en branle notre capacité divinatoire de compréhension et que la connaissance d'un seul fragment peut déjà permettre à l'historien de se faire une image vraisemblable et approchée du tout. Et, dès lors qu'il poursuit dans la direction que lui a indiquée ce premier « coup d'œil fulgurant », chaque morceau d'expérience successif développe son intuition, l'image toujours plus nette se rectifie à force d'être mieux comprise et éclaircie — et un procédé, qui, du point de vue théorique, paraît extrêmement douteux et même impossible, se voit à la fin justifié en pratique par l'évidence de l'interprétation, à laquelle aboutit le processus de compréhension, et qui porte sur l'œuvre comme un tout. Lorsqu'il parle de sa façon de considérer et de traiter les objets de la nature en procédant du tout à la partie, de l'impression globale à l'observation des détails (lettre à K. C. von Leonhard, 12 octobre 1807), Goethe ne peut faire allusion qu'à cette espèce de synthèse qui précède l'exercice de l'analyse. A quoi il faut encore ajouter que les objets placés dans l'espace se laissent vraiment envisager de l'extérieur et de l'intérieur en tant que totalité, alors que l'ensemble formé par des faits historiques en rapport les uns avec les autres ne peut être compris, du fait qu'il est une succession dans le temps, que lentement et progressivement. Ces problèmes qu'on ne peut rappeler ici que brièvement sont un point crucial de toute théorie herméneutique. Schleiermacher a sans doute décrit le premier comment l'acte de comprendre débute par une sorte de divination, provisoire et hypothétique, portant sur le tout, et comment ensuite les parties et le tout s'éclairent de façon progressive et réciproque (voir à ce sujet l'étude détaillée de Joachim Wach, *Das Verstehen*, I, Tübingen, 1926, p. 101 *sq.*). Tous les savants spécialistes de l'histoire des idées le savent ; J. Huizinga, l'éminent historien de la culture, partant de son expérience d'historien, profère à son tour, avec d'autres mots, cette vieille vérité de méthode :

> Acquérir l'intelligence de l'histoire n'est pas un processus qui suivrait seulement le traitement critique du matériau brut ; cette acquisition s'accomplit en permanence pendant le travail de fouille lui-même, la science se réalise, chez l'individu, non dans la synthèse mais déjà dans l'analyse. Aucune analyse vraiment historique n'est possible sans une continuelle interprétation. Pour que l'analyse puisse commencer, il faut qu'une synthèse soit déjà présente dans l'esprit du chercheur (*Wege der Kulturgeschichte,* Munich, 1930, p. 16).

Il convient de montrer à présent que ces protocoles méthodologiques partout valables ont leur importance pour résoudre les problèmes particuliers de l'histoire des genres. Je choisis

l'exemple de l'histoire de l'ode allemande, du fait que c'est là
que la réalité historique m'est la plus précisément connue et la
plus familière. Je vais décrire à peu près objectivement quelle
était la physionomie du problème lorsque j'entrepris de présenter l'histoire de ce genre lyrique. Celui qui entreprend d'écrire
l'histoire de l'ode allemande, il est à peine pensable qu'il fasse
autrement qu'aborder ce matériau, encore inconnu de lui dans
sa totalité, par l'image du genre qu'il tire des poèmes célèbres,
et qui nous parlent encore directement, des grands auteurs
d'odes : en gros, les poèmes de Klopstock et de Hölderlin. Mais
si chez ces deux poètes les odes sont déjà différentes, et si la
différence est déjà grande sur un intervalle de temps assez
réduit, dans une liaison historique presque immédiate, et en
dépit d'une parenté générique sensible, beaucoup plus grande
encore sera la différence lorsqu'on pense aux odes solennelles
de l'époque de la poésie de cour ou aux odes pindariques du
baroque. Dès les premiers pas, on apprend que l'on ne pourrait
se tirer d'affaire en voulant utiliser l'ode de Klopstock, par
exemple, comme norme du genre. Cette clé n'est pas capable
d'ouvrir les œuvres, si différentes dans leur individualité historique, qui relèvent de ce genre ; un tel « type » ne saurait être un
« principe de sélection ». Mais la difficulté se résout par un
autre biais. La poésie allemande n'est pas la seule à avoir des
odes, et ce genre n'est pas né sur la terre allemande. Il forme
plutôt un rameau de la poésie de l'ode, qui n'a pas poussé
seulement en Occident, mais qui sort de la tradition antique.
Quand les humanistes allemands commencèrent à composer des
odes, ils avaient, comme les auteurs d'odes des autres peuples,
un modèle antique : la poésie d'Horace. A quoi s'ajoutaient
déjà des odes modernes, italiennes, à la manière antique. C'est
d'abord comme un essai pour imiter ce lyrisme antique et le
renouveler à la façon des humanistes — pour l'imiter en latin —,
puis comme un effort original pour perfectionner ce genre par
l'émulation créatrice avec les modèles classiques, que les odes
des poètes allemands se sont développées dans leur diversité.
Comme il est naturel, chaque époque donne son essor à une
particularité spécifique du genre ; mais justement elle le fait

toujours le regard fixé aussi bien sur les modèles classiques que sur la tradition moderne dont l'influence se maintient, sur les prédécesseurs et les modèles européens et allemands. L'histoire d'un tel genre est un processus de croissance organique, comme d'autres événements dans l'histoire des idées. Les modèles antiques, la tradition européenne et nationale, la volonté nouvelle de figuration, telles sont les forces qui provoquent la croissance des œuvres nouvelles du même genre. Et ce sont donc aussi les catégories avec lesquelles l'histoire des genres doit travailler.

Toute l'histoire d'un genre ne peut avancer qu'en répétant le processus de croissance, mais en le comprenant et en le représentant. Le départ en sera une saisie intuitive de l'élément générique à partir des représentants poétiquement les plus significatifs du genre, le pas suivant, qui conduit déjà au tout historique du genre, ramène aux débuts de l'histoire du genre. L'histoire de l'ode doit donc représenter comment la catégorie particulière du lyrisme artistique transmise depuis l'Antiquité sous le nom d' « ode » est transplantée dans la culture occidentale naissante, quelles sont ensuite ses destinées dans le développement de la littérature allemande, et comment elle y fleurit avec une singularité toujours neuve à toutes les époques où le lyrisme national en général procède de la rivalité entre la volonté de construction moderne et la grande tradition antique. Elle doit aussi déceler la structure formelle qui, issue du contenu, se cache sous ces transformations et sur laquelle le genre repose [11]. C'est seulement ainsi que l'on peut comprendre « le » genre. Car, comme Günther Müller l'observe justement,

---

11. Günther Müller a procédé de même pour son histoire du lied allemand (*Geschichte des deutschen Liedes,* Munich, 1925) ; il renonce complètement à donner une définition conceptuelle « du » lied. Et Hermann Pongs fait exactement pareil dans ses études sur la nouvelle allemande (« Grundlagen der deutschen Novelle des 19 Jahrhunderts », *Jahrbuch des Freien Deutschen Hochstifts,* Francfort, 1930, p. 151). Il part, fort justement, de Boccace et de Cervantes, modèles « classiques » des auteurs allemands de nouvelles. Car : « C'est de façon consciente que Goethe et la génération romantique, lorsqu'ils se font pour l'Allemagne les conquérants de la forme de la nouvelle, renouent avec la

dans l'histoire, le genre apparaît bien avec les œuvres individuelles, mais il ne s'épuise pas en elles, il les « transcende ».

> Du point de vue de l'histoire littéraire, le genre n'est réel
> que dans « ses » œuvres individuelles (*Philos. Anzeiger*,
> III, p. 141 *sq.*).

Et quant à ce qu'est le genre, l'esthétique spéculative ne peut
tirer la réponse d'elle-même, mais seulement du matériau que
lui fournit l'histoire du genre.

On ne peut tracer une fois pour toutes le contour matériel de
l'histoire des genres, parce qu'il s'agit là de quelque chose de
vivant qui se transforme. Pour un genre lyrique qu'on peut,
comme le sonnet, définir à partir d'éléments formels externes,
cette difficulté se trouve très réduite. Et pourtant on trouvera là
aussi des poèmes qui, d'après leur forme prosodique, semblent
être des sonnets et sont aussi décrits comme tels, alors qu'ils
n'ont pas la structure propre au sonnet. De tels poèmes se
rangent-ils dans une histoire du sonnet ? Je pense que oui. Ils se
situent en marge, pour ainsi dire, du domaine couvert par ce
genre, et seul un jugement de valeur esthétique peut décider si
l'on va nommer les œuvres de cette espèce des produits
dégénérés du « vrai » genre ou bien des formes de transition
vers un genre voisin. Dans ce cas, le cours de l'histoire mène
pour ainsi dire hors du district du genre. Dans toute histoire
d'un genre, il y a de tels phénomènes. Il est des poèmes du
baroque allemand qui s'appellent « odes », alors qu'ils sont en
réalité des lieder savants (*Kuntslieder*). Pourtant l'histoire du
genre de l'ode doit, me semble-t-il, traiter aussi de ces poèmes.

---

nouvelle sociale de la Renaissance, avec Boccace et Cervantes. Mais
tous deux sont venus à une heure historique déterminée, dans des
conditions sociales bien déterminées, tous deux marquent la forme de la
nouvelle d'un caractère structural bien déterminé. C'est dans ce
domaine qu'il faut pénétrer d'abord pour pouvoir, seulement après
l'avoir délimitée, comprendre la forme spécifique de la nouvelle
romantique à partir des conditions particulières de sa vie. »

Car ce n'est pas pur arbitraire des auteurs si la vieille dénomination classique du genre se voit ici transférée à des poèmes d'une espèce fondamentalement différente. En fait, ce transfert indique que l'ancien genre de l'ode est associé à la création d'œuvres lyriques nouvelles ; cette création entretient avec lui des rapports de parenté, dont la poétique du genre aura ensuite, par son classement systématique, à fournir la définition conceptuelle. Et parfois c'est justement cette nouvelle forme sortie du genre traditionnel qui, au cours de l'histoire, provoquera un mouvement de sens contraire, lequel tendra à ranimer les vertus créatrices du « vrai » genre qui avait été pour un temps refoulé. Fournissant la thèse de cette antithèse propre à l'évolution historique, les œuvres « impropres » à un genre donné devraient bien sûr figurer aussi dans la présentation historique. Mais, comme ces rapports sont différents d'une fois à l'autre, c'est à l'historien de décider, cas par cas, comment il procédera. Enfin, qu'un poème puisse appartenir au genre de l'ode même si le poète ne le définit pas expressément comme tel, cela se comprend. Ce n'est pas le nom qui décide ici, mais la structure générique du poème. En sens inverse, quand un poème porte l'étiquette du genre, un rapport véritable au genre est en règle générale présent, mais il peut aussi bien revêtir la forme compliquée que l'on vient de décrire.

*Traduit de l'allemand*
*par Jean-Pierre Morel*

# Hans Robert Jauss

# *Littérature médiévale et théorie des genres* *

## I

Il n'est pas rare que la formation d'une théorie soit liée, sans que l'on s'en rende compte, au genre et au champ de l'objet à partir duquel elle fut élaborée ou auquel elle doit être appliquée. Cela vaut particulièrement pour la théorie des genres littéraires. Les philologues la développèrent surtout à partir d'exemples tirés des époques classiques de la littérature, qui avaient l'avantage de définir la forme d'un genre d'après des règles consacrées et permettaient ainsi de suivre son histoire d'une œuvre à l'autre, suivant les intentions et les réussites des auteurs. A ces considérations qui visaient l'individualité de l'œuvre, l'approche structuraliste a opposé une théorie qui s'est développée principalement à partir de genres primitifs tels que le récit mythique ou le conte populaire, afin de dégager, à l'aide de ces exemples non artistiques et sur la base d'une logique narrative, les structures, fonctions et séquences les plus simples, constitu-

* Le texte de H. R. Jauss dont nous publions ici une traduction fait partie d'un ouvrage collectif intitulé *Grundriss der romanischen Literaturen des Mittelalters,* Carl Winter, Heidelberg, 1970. Paru dans *Poétique,* 1, 1970.

tives des différents genres et qui les différencient les uns des autres.

Il semble à présent intéressant de développer une théorie des genres littéraires dont le champ d'expérience se situerait entre les termes opposés de la singularité et de la collectivité, du caractère esthétique et de la fonction pratique ou sociale de la littérature. Les littératures du Moyen Âge se prêtent tout particulièrement à une telle tentative. Car les approches philologiques de leurs genres en langue vulgaire ont à peine dépassé le stade des monographies isolées, qui ne présentent le plus souvent qu'un aperçu général. On est encore loin d'avoir délimité là tous les genres ; quant à leur juxtaposition et succession dans l'histoire, il n'en existe guère d'étude. Dans les manuels, la classification des genres repose sur des conventions du XIX$^e$ siècle ; on ne les conteste plus guère et l'on fait voisiner des définitions primitives et des notions classiques de genres avec des classifications *a posteriori*. Depuis bien longtemps les romanistes n'ont plus apporté aucune contribution à la discussion internationale sur la formation d'une théorie générale[1] ou d'une histoire structurale des genres littéraires. Ce silence est lié sans doute à l'objet même, mais aussi à l'histoire de la philologie et de l'esthétique.

Dans le domaine du Moyen Âge, l'histoire et la théorie des genres de la littérature populaire se heurtent à une difficulté particulière : les caractéristiques structurelles des formes littéraires dont on devrait partir sont à élaborer elles-mêmes sur des textes dont la chronologie est souvent peu précise. Ce sont des littératures nouvelles qui se créent ; aucun principe humaniste

---

1  Celle-ci reçut une nouvelle impulsion au 3$^e$ Congrès international d'Histoire littéraire moderne qui se tint à Lyon en mai 1939 (*Helicon*, 2, 1940) et qui était consacré au problème des genres, dont Croce avait proclamé l'inexistence dans une protestation ironique. En ce qui concerne la discussion ultérieure, cf. J. Pommier, « L'idée de genre », *Publications de l'École normale supérieure, section des Lettres*, II, Paris, 1945, p. 47-81 ; R. Wellek et A. Warren, *La Théorie littéraire*, Paris, Éd. du Seuil, 1971, chap. 17 : « Les genres littéraires », et W. Ruttkowski, *Die literarischen Gattungen*, Berne, 1968.

d'imitation rigoureuse, aucune règle poétique obligatoire ne les font dépendre directement de la littérature latine qui les a précédées. Pour les genres populaires en langue romane, il n'existe guère au départ de document poétologique. « Les langues vulgaires et les modèles qu'elles ont développés depuis longtemps ne retiennent l'attention des théoriciens qu'à partir de 1300, avec Dante, Antonio da Tempo, Eustache Des-champs[2]. » Encore les théoriciens du Moyen Âge ont-ils apprécié l'œuvre littéraire en s'attachant aux styles plus qu'aux lois des genres.

Par ailleurs, la systématisation moderne en trois genres fondamentaux ou « formes naturelles de l'œuvre poétique » (Goethe) n'exclurait pas seulement la plupart des genres médiévaux en tant que formes impures ou pseudo-poétiques[3]. Il est également très difficile de décrire l'épopée populaire, la poésie des troubadours et les Mystères à l'aide des définitions de la triade moderne : épique, lyrique, dramatique. Là où les auteurs et le public ignoraient encore tout des distinctions modernes entre valeur d'usage ou art pur, didactisme ou fiction, imitation ou création, tradition ou individualité, qui orientent la compréhension de la littérature depuis l'émancipation des beaux-arts, il est vain d'opérer avec une tripartition de la littérature qui nous vient seulement de ce processus d'émancipa-tion, et d'adjuger tout ce qui ne saurait s'intégrer aux trois autres à un problématique quatrième genre appelé « didacti-que » qui impliquerait une taxinomie littéraire inconnue au Moyen Âge.

Devant de telles difficultés, les critiques adressées, dès après 1900, au concept pseudo-normatif de genre, interprété dans le sens évolutionniste de Brunetière, prirent de plus en plus d'importance. L'esthétique de Croce, qui, devant la singularité expressive de toute œuvre d'art, ne reconnaissait plus que l'art

2. H. Kuhn, « Gattungsprobleme der mittelhochdeutschen Litera-tur », *Sitzungsberichte der Bayer. Akad. d. Wiss.* (Phil.-hist. Kl), 1956, H. 4, p. 8.
3. Cf. *ibid.*, p. 7.

même (ou l'intuition) comme « genre », sembla libérer les philologues du problème des genres : Croce le réduisait à la question de l'utilité d'un catalogue classificateur. Mais on sait bien qu'il ne suffit pas de rompre un nœud gordien pour résoudre un problème scientifique. La « solution » de Croce n'aurait certainement pas connu un succès aussi durable auprès de ses partisans et adversaires si cette contestation du concept normatif de genre n'avait été accompagnée de la naissance de la stylistique moderne, qui établit en même temps l'autonomie de l'œuvre d'art littéraire » *(Wortkunstwerk)* et développa des méthodes d'interprétation anhistoriques, qui rendaient superflue une étude préalable des formes et genres dans l'histoire.

En se détournant de l'esthétisme de la critique immanente, qui consacra l'épanouissement des études monographiques sans répondre toutefois aux questions sur les relations synchroniques et diachroniques entre les œuvres, une nouvelle théorie historico-herméneutique et structuraliste inaugura l'ère dans laquelle nous nous trouvons. La théorie des genres littéraires, prise entre le scepticisme nominaliste, qui ne permet que des classifications *a posteriori,* et un repli sur des typologies intemporelles, comme entre Charybde et Scylla, s'efforce actuellement de trouver une voie qui parte du point où l'historisation de la poétique des genres et du concept de forme s'est arrêtée [4]. Ce n'est pas pour de simples raisons techniques que la critique de Croce a été choisie comme point de départ. C'est en effet Croce qui, en poussant au plus loin la critique développée depuis le XVIIIe siècle à l'égard de l'universalité normative du canon des genres, nous découvre par là même la nécessité de fonder une histoire structurale des genres littéraires.

---

4. Pour l'établissement d'une esthétique historique, cf. P. Szondi, *Theorie des modernen Dramas,* Francfort, 1956, Introduction, et « La théorie des genres poétiques chez Fr. Schlegel », *Critique,* mars 1968, p. 264-292.

## II

> Tout véritable chef-d'œuvre a violé la loi d'un genre
> établi, semant ainsi le désarroi dans l'esprit des critiques,
> qui se virent dans l'obligation d'élargir ce genre [5]...

L'objection de Croce, condamnant ainsi le concept normatif
de genre, implique à son tour une condition essentielle de
l'œuvre d'art, méconnue de Croce et permettant de démontrer
la réalité historique, la fonction esthétique et l'efficacité herméneutique des concepts de genre. Car, comment répondre de
façon vérifiable à cette seule question légitime aux yeux de
Croce se demandant si une œuvre d'art est expression parfaite,
demi-réussite ou échec [6], si ce n'est par un jugement esthétique
permettant de discerner dans l'œuvre d'art l'expression unique
de ce qu'on est en droit d'attendre, de ce qui oriente la
perception et la compréhension du lecteur, et par là même
constitue un genre ?

Même une œuvre d'art qui, selon Croce, réaliserait l'unité
parfaite de l'intuition et de l'expression, ne saurait être totalement isolée de tout ce que nous pouvons en attendre, sans
devenir incompréhensible. L'œuvre d'art, même en tant que
pure expression de l'individuel (ce que Croce généralise à tort
dans son esthétique du vécu et du génie), est cependant
conditionnée par l'« altérité », c'est-à-dire par la relation avec
l'autre comme conscience compréhensive. Même là où, pure
création de langage, elle nie ou dépasse toutes les attentes, elle
suppose des informations préalables ou une orientation de
l'attente, à laquelle se mesure l'originalité et la nouveauté — cet
horizon de l'attente qui, pour le lecteur, se constitue par une
tradition ou une série d'œuvres déjà connues et par l'état
d'esprit spécifique suscité, avec l'apparition de l'œuvre nou-

5. B. Croce, *Estetica,* Bari, 1902.
6. *Ibid.*

velle, par son genre et ses règles de jeu. Tout comme il n'existe
pas de communication par le langage qui ne puisse être ramenée
à une norme ou une convention générale, sociale ou conditionnée par une situation[7], on ne saurait imaginer une œuvre
littéraire qui se placerait dans une sorte de vide d'information et
ne dépendrait pas d'une situation spécifique de la compréhension. Dans cette mesure, toute œuvre littéraire appartient à un
genre, ce qui revient à affirmer purement et simplement que
toute œuvre suppose l'horizon d'une attente, c'est-à-dire d'un
ensemble de règles préexistant pour orienter la compréhension
du lecteur (du public) et lui permettre une réception apprécia-
tive.

Mais les « élargissements du genre » sans cesse renouvelés,
où Croce voyait aboutir *ad absurdum* l'autorité des concepts de
genre, marquent par ailleurs le « caractère légitimement transitoire » et temporel des genres littéraires[8], dès lors que l'on est
prêt à désubstantialiser le concept classique du genre. Il faut
pour cela n'attribuer aux « genres » littéraires (lorsque la notion
n'est prise que dans un sens métaphorique) aucun autre
caractère de généralité que celui qui apparaît dans leur manifestation historique. En supprimant la valeur intemporelle des
notions de genre de la poétique classique, il ne s'agit nullement
de rendre caduc tout caractère de généralité qui révèle des
analogies ou des parentés dans un groupe de textes. Rappelons
ici que, de même, la linguistique distingue une généralité qui
occupe une position intermédiaire entre l'universel et l'individuel[9]. Il s'agit de saisir les genres littéraires non comme *genera*

7. W. D. Stempel, « Pour une description des genres littéraires »,
*Actes du XII^e Congrès international de linguistique romane,* Bucarest,
1968 ; en particulier sa définition fondamentale de toute théorie du
discours : « Tout acte de communication linguistique est réductible à
une norme générique et conventionnelle dont les composants, sur le
plan de la langue parlée, sont l'indice social et l'indice de la situation en
tant qu'unité de comportement. »
8. F. Sengle, *Die literarische Formenlehre,* Stuttgart, 1966, p. 19.
9. D'après Coseriu, « Thesen zum Thema Sprache und Dichtung »,
*Beiträge zur Textlinguistik,* W. D. Stempel (éd.), Munich, Fink, 1970,

(classes) dans un sens logique, mais comme *groupes* ou *familles historiques.* On ne saurait donc procéder par dérivation ou par définition, mais uniquement constater et décrire empiriquement. En ce sens, les genres sont analogues aux langues historiques (l'allemand ou le français par exemple), dont on estime qu'elles ne peuvent être définies, mais uniquement examinées d'un point de vue synchronique ou historique.

Les avantages d'une telle définition qui aborde les caractères généraux des genres littéraires non plus d'un point de vue normatif *(ante rem)* ou classificateur *(post rem),* mais historique *(in re),* c'est-à-dire dans une « continuité, où tout ce qui est antérieur s'élargit et se complète par ce qui suit [10] », sont évidents. Par là, l'élaboration de la théorie est affranchie de l'ordre hiérarchique d'un nombre limité de genres sanctionnés par le modèle des anciens et qui ne devraient pas s'entremêler, ni se multiplier. Considérés en tant que groupe ou famille historique, les genres majeurs et mineurs consacrés ne sont pas les seuls que l'on puisse réunir et décrire dans des variantes historiques ; on peut faire la même chose pour d'autres séries d'œuvres que relie une structure formant une continuité et qui se manifestent dans une série historique [11]. La continuité qui crée le genre peut se trouver dans le regroupement de tous les textes d'un genre — comme la fable — ou dans les séries oppositionnelles de la chanson de geste et du roman courtois, dans la succession des œuvres d'*un* seul auteur comme Rutebeuf, ou dans des manifestations générales de style traversant

---

surtout le § II, p. 2 ; cf. Stempel, *ibid.,* p. 13 : « Le genre donc, si l'on veut, tient à la fois du système et de la parole, statut qui corrrespond à ce que Coseriu a appelé *norme.* »

10. Par cette formulation, J. G. Droysen paraphrasait dans son *Historik* (R. Hübner, Munich, 1967, p. 9 *sq.*) la définition aristotélicienne de l'espèce humaine (ἐπίδοσις εἰς αὐτό) par opposition aux plantes et aux animaux (*De anima,* II, 4, 2). La formulation de Droysen, qui se fonde sur la continuité du *travail* de l'histoire en marche, s'oppose au concept organiciste d'évolution et convient de ce fait pour le concept historique de genre littéraire.

11. Cf. W. D. Stempel, *op. cit.*

toute une époque — comme le maniérisme allégorique du
XIII<sup>e</sup> siècle —, mais aussi dans l'histoire d'une forme métrique
comme l'octosyllabe à rime paire, ou d'un thème comme celui
du personnage légendaire d'Alexandre au Moyen Âge. Une
même œuvre peut également se laisser saisir sous les aspects de
divers genres ; ainsi *le Roman de la Rose* de Jean de Meung, où
se croisent — réunies dans le cadre traditionnel de l'allégorie
amoureuse — des formes de la satire et de la parodie, de
l'allégorie morale et de la mystique (à la suite de l'école de
Chartres), du traité philosophique et des scènes de comédie
(rôle de l'Ami et de la Vieille). Une telle composition ne
dispense d'ailleurs pas le critique de poser la question de la
dominante qui gouverne le système du texte : dans notre
exemple, il s'agit du genre de l'encyclopédie laïque, dont Jean
de Meung a su élargir de manière géniale les formes de
représentation.

L'introduction de la notion de dominante qui organise le
système d'une œuvre complexe[12] permet de transformer en
catégorie méthodiquement productive ce qu'on appelait le
« mélange des genres », et qui n'était, dans la théorie classique,
que le pendant négatif des « genres purs ». Il faudra ensuite
distinguer entre une structure de genre à fonction indépendante
(ou constitutive) ou dépendante (ou concomitante). C'est ainsi
que, dans le Moyen Âge roman, la satire n'apparaît d'abord et
pendant longtemps que dans une fonction dépendante en
relation avec la prédication, le poème moral didactique et
sentencieux (exemple, la *Bible Guiot*) et la littérature des *états*
(*États du monde*, miroir des princes), avec l'épopée animale, la
facétie en vers (*fabliau*) et la *poesia giocosa,* ou bien avec le
débat, le lyrisme polémique et toutes les formes qu'Alfred
Adler a adjointes au genre appelé *historicum*[13]. Lorsque la
satire prend une fonction constitutive, comme dans les œuvres
satiriques de Peire Cardenal, de Rutebeuf, ou de Cecco

12. J. Tynjanov, « Das literarische Faktum » (1924) dans *Texte der russischen Formalisten,* Striedter (éd.), t. I, Munich, 1969.
13. Cf. *GRLMA* (cf. la note * p. 37), vol. VI, chap. E, p 275.

Angiolieri, il naît des genres autonomes de satire qui, à la différence de la tradition antique d'Horace, à laquelle la littérature de la Renaissance se rattachera plus tard, ne seront pas absorbés dans la continuité d'un seul et même genre spécifique. Il arrive aussi qu'une structure de genre n'apparaisse que dans une fonction concomitante — ainsi le « *gap* » ou le grotesque, qui n'a jamais réussi à devenir un genre littéraire autonome dans la tradition romane[14]. Il est donc possible de définir un genre littéraire au sens non logique, mais spécifiant des groupes, dans la mesure où il réussit de façon autonome à constituer des textes, cette constitution devant être saisie aussi bien synchroniquement dans une structure d'éléments non interchangeables que diachroniquement dans une continuité qui se maintient.

### III

Si nous tentons de discerner des genres littéraires du point de vue synchronique, il nous faut poser d'abord que la délimitation et la différenciation ne peuvent être effectuées à partir de caractéristiques exclusivement formelles ou thématiques. Shaftesbury fut le premier à dire que la forme prosodique ne suffit pas à constituer le genre, bien plus : qu'une « forme interne » doit correspondre à l'aspect extérieur, forme qui expliquera ensuite la mesure particulière, les « proportions » proprement dites d'un genre autonome[15]. De son côté, cette « forme interne » ne peut être saisie suivant un seul critère. Ce qui

14. Cf. J. U. Fechner, « Zum Gap in der altprovenzalischen Lyrik », *Germanisch-Romanische Monatsschrift, Neue Folge,* 14 (1964), 15-34. Pour le grotesque, cf. « Die nicht mehr schönen Künste », H. R. Jauss (éd.), Munich, 1968 (*Poetik und Hermeneutik,* III), s. v. « *das Groteske* ».
15. Dans *The Judgement of Hercules.* Cf. Viëtor, « Probleme der literarischen Gattungsgeschichte ». *Deutsche Vierteljahrsschrift für Lite-*

organise l'aspect particulier ou la structure autonome d'un genre
littéraire apparaît dans un ensemble de caractéristiques et de
procédés dont quelques-uns dominent et peuvent être décrits
dans leur fonction, indice d'un système. Un moyen permettant
de constater les différences constitutives des genres est l'épreuve
de la commutation. C'est ainsi que la différence de structure
entre le conte de fées et la nouvelle ne se laisse pas saisir
uniquement dans les oppositions entre irréalité et quotidien-
neté, entre morale naïve et casuistique, entre merveilleux
paraissant naturel dans un conte de fées et « événement
exceptionnel » ; elle apparaît aussi dans la diversité de signification des mêmes personnages : « Que l'on place la princesse d'un
conte à côté de la princesse d'une nouvelle et l'on sentira la
différence [16]. »

Voici un autre exemple : la non-interchangeabilité des personnages de la chanson de geste et du roman courtois. Des héros
comme Roland ou Yvain, des dames comme Alda ou Énide, des
souverains comme Charlemagne ou Arthur ne furent jamais
transférés d'un genre à l'autre dans la tradition française, malgré
l'assimilation progressive de l'épopée au roman chevaleresque ;
il fallut d'abord leur réception par la tradition italienne pour
que, les deux genres français se fondant en un genre nouveau —
l'épopée romantique —, les deux sphères de personnages
séparées à l'origine fussent transférées dans l'ordonnance d'une
même action. La séparation originaire apparaît à plusieurs
reprises chez Chrétien de Troyes, dès que l'on reconnaît des
indices de non-interchangeabilité derrière le schéma rhétorique
de la surenchère [17].

---

raturwissenschaft und Geistesgeschichte, 9 (1931), p. 425-447 (et
dans Geist und Form, Berne, 1952, p. 292-309). Cf. ici même,
p. 15-16.

16. A Jolles, Einfache Formen : Legende, Sage, Mythe, Rätsel, Spiel,
Kasus, Memorabile, Märchen, Witz, Halle, 1930 (2ᵉ éd., Halle, 1956),
p. 196 (trad. fr., Formes simples, Éd. du Seuil, 1972).

17. Cf. Chanson de geste und höfischer Roman, Heidelberg, 1963
(Studia romanica, 4), p. 70 sq.

Un autre indice frappant des différences entre structures est l'utilisation de procédés contraires à un genre, dans des cas où l'auteur procède lui-même à une correction. C'est ainsi que l'auteur de *Fierabras* utilise deux motifs du merveilleux constitutif du roman d'Arthur (ceinture magique, baume magique) qui seraient une entorse à l'une des règles du genre dans lequel il écrit, la chanson de geste : respect des limites de la vraisemblance dans une action exemplaire, même dans les hyperboles d'une épopée ; ces motifs sont donc rapidement abandonnés, si bien qu'ils disparaissent simplement de l'action comme des motifs sans conséquence [18]. De telles analyses structurales, qui manquent encore pour de nombreux genres, permettraient d'effectuer peu à peu une coupe synchronique, où l'ordonnance des genres traditionnels et des genres non consacrés apparaîtrait non plus comme une classification logique, mais comme le système littéraire propre à une situation historique donnée. Mais « tout système synchronique... ayant son passé et son avenir comme éléments structurels inséparables de ce système [19] », une histoire structurale des genres littéraires nécessite d'autres coupes synchroniques, à travers la production littéraire des périodes antérieures et postérieures.

## IV

Si nous tentons maintenant de discerner les genres littéraires du point de vue diachronique, il nous faut partir des relations du texte singulier avec la série de textes qui constituent le genre. Le cas limite d'un texte représentant l'unique exemple connu d'un genre prouverait simplement qu'il est difficile de définir un

18. *Ibid.*, p. 69-70.
19. J. Tynjanov et R. Jakobson, « Problèmes des études littéraires et linguistiques », *Théorie de la littérature,* T. Todorov (éd.), Éd. du Seuil, 1965 (le texte est de 1928). Cf. H. R. Jauss, *Literaturgeschichte als Provokation der Literaturwissenschaft,* Constance, 1967, p. 60 (trad. fr. *in* Jauss, *Pour une esthétique de la réception,* Gallimard, 1978).

genre sans avoir recours à l'histoire des genres, mais que ce n'est pas impossible. La spécificité du genre de la chante-fable, dont l'unique exemple est *Aucassin et Nicolette,* apparaît assez clairement dans la différence de sa structure par rapport à celle de genres apparentés comme le *prosimetrum* latin ou la *Vita Nuova* de Dante, dont *Aucassin* (sans tenir compte de la différence de niveau de style et de forme de la représentation) se distingue en ce que le récit y est aussi bien la trame des parties en vers que celle des parties en prose, et par sa relation avec les modèles des genres épique et lyrique qu'il cite, combine et parodie assez souvent. Il se peut que la technique de l'allusion et du montage, particulière à *Aucassin et Nicolette,* ait rendu plus difficile la reproduction de la chante-fable, du fait qu'elle exigeait de l'auteur comme du public une plus grande connaissance des formes littéraires actuelles — en principe il n'y a pas de raison de contester l'existence d'autres pièces appartenant au même genre. En revanche, seule l'étude diachronique permet de constater la relation entre éléments constants et éléments variables, les seconds n'apparaissant que dans le cheminement historique.

La variabilité des manifestations historiques a posé des difficultés à la théorie des genres aussi longtemps que l'on est resté attaché à une conception substantialiste ou que l'on a tenté d'adapter l'histoire des genres au schéma évolutionniste de l'ascension, de l'apogée et de la décadence. Comment décrire l'évolution historique d'un genre si le caractère général de ce genre ne doit être compris ni comme une norme intemporelle ni comme une convention arbitraire ? Comment la structure d'un genre se modifierait-elle sans perdre sa particularité ? Comment imaginer le cheminement d'un genre dans le temps autrement que comme l'aboutissement à un chef-d'œuvre et le déclin dans une phase d'épigones ?

Si l'on remplace le concept substantialiste de genre (le genre en tant qu'idée apparaissant dans chaque individu et ne pouvant que se répéter en tant que genre) par le concept historique de continuité, « où tout ce qui précède s'élargit et se complète dans ce qui suit » (ἐπίδοσις εἰς αὑτὸ qui, selon Aristote, distingue l'espèce humaine de l'espèce animale)[20], la relation du texte singulier avec la série de textes constituant le genre apparaît comme un processus de création et de modification continue d'un horizon[21]. Le nouveau texte évoque pour le lecteur (l'auditeur) l'horizon d'une attente et de règles qu'il connaît grâce aux textes antérieurs, et qui subissent aussitôt des variations, des rectifications, des modifications ou bien qui sont simplement reproduits. La variation et la rectification délimitent le champ, la modification et la reproduction définissent les limites de la structure du genre.

Lorsqu'un texte se contente de reproduire les éléments typiques d'un genre, d'introduire une autre matière dans des modèles déjà éprouvés, de reprendre simplement la topique et les métaphores traditionnelles, il naît une littérature stéréotypée où l'on voit se dégrader des genres qui ont eu du succès, comme la chanson de geste au XIIe siècle ou le fabliau au XIIIe. La limite atteinte ainsi est celle de la simple valeur d'usage ou le caractère du « produit de consommation ». Plus un texte est la reproduction stéréotypée des caractéristiques d'un genre, plus il perd en valeur artistique et en historicité. Car cela vaut aussi pour les genres littéraires : « Ils se transforment dans la mesure où ils participent de l'histoire et ils s'inscrivent dans l'histoire dans la mesure où ils se transforment[22]. »

L'historicité d'un genre littéraire se manifeste dans le processus de création de la structure, ses variations, son élargissement et les rectifications qui lui sont apportées ; ce processus peut

20. Cf. n. 10. André Jolles pense au même principe lorsqu'il parle de la langue en tant que travail : « Constater le chemin qui conduit de la langue à la littérature..., lorsque au moyen de la comparaison nous observons un phénomène qui se reproduit à un autre niveau en s'enrichissant, une force qui, créant et délimitant une forme, en se dépassant chaque fois, domine le système en tant que totalité » (*op. cit.,* p. 7).

21. Formulé d'un point de vue linguistique : comme expansion d'un système sémiologique qui s'effectue entre l'épanouissement d'un système et sa rectification ; cf. W. D. Stempel, *op. cit.*

22. Droysen, *Historik,* p. 198 (cf. n. 10) rapporte cela aux peuples en tant que « formations individuelles ».

évoluer jusqu'à l'épuisement du genre ou à son éviction par un
genre nouveau. Citons à titre d'exemple la poésie du non-sens
qui apparaît en France au XIIIᵉ siècle dans deux genres indépen-
dants : la *fatrasie* et la *resverie*[23]. D'un point de vue génétique,
on peut définir la *fatrasie* comme le dérivé d'un genre narratif :
le conte mensonger. Le genre nouveau se caractérise par
l'abandon du contexe englobant — qui signalait l'ingéniosité du
mensonge —, par la brisure de tout réseau narratif ou signifiant
dans l'action fatrasique, par la construction rigoureuse, parfois
asymétrique des poèmes, ce qui conduit au paradoxe d'une
structure de la suppression de toute logique objective, par une
suite d'images qui apparaissent en dehors d'un contexte raisonnable, mais au sein d'une « totalité » métrique organisée et
close[24]. L'invention de la *fatrasie* en tant que poème à forme
fixe peut être attribuée à Philippe de Remi. Si cette hypothèse
émise par W. Kellermann se révèle exacte, les *fatrasies d'Arras,*
qui sont de la même époque, apparaissent comme la première
variante, le premier élargissement du sujet : aux motifs intemporels de Philippe de Remi se mêlent des intentions satiriques
accessoires (dégradation du sacré et de l'héroïque) et un
comique scabreux. Cette tendance est poussée si loin dans des
variantes créées par Raimondin et Watriquet que l'on voit se
détacher de la *fatrasie,* en tant que forme pure de la poésie du
non-sens, un nouveau genre parodique : le *fatras.* Le vers à onze
syllabes de la *fatrasie* y est précédé d'un refrain en forme de
dicton, de contenu souvent amoureux, qui délimite le cadre du
poème, lequel parodie son énoncé possible sous forme de
discours impossible. Le *fatras impossible* issu de la *fatrasie*
devient ainsi une forme hybride de la glose, à laquelle le *fatras
possible* de Baudet Herenc s'est opposé plus tard comme un
pendant sérieux, à la thématique le plus souvent spirituelle, et
qu'il est possible de considérer, dans le processus que nous

---

23. Cf. W. Kellermann, « Über die altfranzösischen Gedichte des
uneingeschränkten Unsinns », *Archiv für das Studium der neueren
Sprachen,* 205 (1968), p. 1-22, qui résume les études compétentes de
A. M. Schmidt, P. Zumthor, L. C. Porter et leurs commentateurs.

24. *Ibid.,* p. 14.

avons esquissé, comme une rectification de la poésie du non-sens.

Il faut ajouter à cette poésie la *resverie,* genre récemment décelé par W. Kellermann, qui fait son apparition en même temps que la *fatrasie* et dont trois exemples seulement nous ont été transmis [25]. La *resverie* montre comment une même intention — création d'énoncés de non-sens par un jeu de langage — peut aboutir à la formation d'un autre genre, par l'invention d'une nouvelle règle du jeu. Car il faut supposer ici une situation dialoguée, où un vers de sept syllabes prononcé par le poète attend une réponse sous forme d'un vers de quatre syllabes, qui doit satisfaire à deux conditions :

> Il doit constituer une unité signifiante avec le vers qui précède et fournir au poète une nouvelle rime pour un vers nouveau, dont le contenu diffère entièrement du précédent [26].

Dans ce genre, nous retrouvons également Philippe de Remi, qui a compliqué sa forme par des rimes acrobatiques ; le genre semble s'être éteint avec le *Dit des traverces* (1303). Mais il resurgit un siècle et demi plus tard, dans la *Sottie des menus propos* (1461), qui réactive le jeu de langage des *resveries* en l'adaptant au personnage du fou et au monde bouleversé par la folie [27]. Le caractère discontinu de cette évolution, à laquelle il faudrait adjoindre la forme ultérieure du *coq-à-l'âne,* les variations qui tendent constamment à compliquer ou à simplifier, les nouvelles règles permettant des différenciations, la transposition de la structure dans la forme de représentation d'un autre genre (ici le genre dramatique) — tout cela caractérise la vie historique des genres littéraires et apporte un démenti au schéma organiciste ; dans cette continuité non téléologique, il

25. W. Kellermann, « Ein Schachspiel des französischen Mittelalters : die Resveries », *Mélanges R. Lejeune,* 1969, p. 1331-1346.
26. *Ibid.,* 1335-1336.
27. B. Goth, *Untersuchungen zur Gattungsgeschichte der Sottie,* Munich, 1967, p. 37 *sq.*

est impossible que le « résultat final [...] puisse être pris comme fin impliquée dès le début[28] ».

V

L'exemple de la poésie du non-sens nous a révélé le processus d'évolution interne d'un genre, mais non les situations historiques et concrètes — difficiles à observer dans cette poésie — qui ont pu, à travers les relations entre auteur et société, entre l'attente du public et l'événement littéraire, conditionner ce processus. Il est indispensable de s'interroger sur de telles imbrications, si l'on veut prendre au sérieux l'historicité de la poétique des genres et la temporalisation de la notion de forme. Le postulat méthodologique selon lequel la création ou la fin de formes littéraires, voire tout changement dans l'histoire d'un genre, trouve une correspondance dans la situation historique d'une société ou reçoit du moins une impulsion de celle-ci n'est plus maintenu par la théorie marxiste et la sociologie de la littérature avec la naïveté de la théorie classique de la *Widerspiegelung* (littérature comme reflet de la société)[29]. Même ces méthodes reconnaissent maintenant que les genres « représentent pour ainsi dire un *a priori* de la réalité littéraire[30] ». Elles cherchent l'interdépendance entre l'infrastructure sociale et la superstructure littéraire, surtout là où les modifications des conditions économiques, politiques et sociales de base « ont un caractère de mutation historique », se transforment en éléments structurels de l'art, et « bouleversent les formes, styles et concepts de valeur traditionnellement fixés »[31]. Elles ne mécon-

28. Droysen, *Historik* (cf. n. 10), p. 209.
29. Cf. W. Krauss, *Studien zur deutschen und französischen Aufklärung,* Berlin, 1963, p. 73-74.
30. W. Krauss, « Die literarischen Gattungen », *Essays zur französischen Literatur,* Berlin-Weimar, 1968, p. 13.
31. E. Köhler, *Esprit und arkadische Freiheit : Aufsätze aus der Welt der Romania,* Francfort-Bonn, 1966, p. 86.

naissent plus, en outre, comment les genres littéraires, après avoir reçu le sceau de la société, « acquièrent une vie propre et une autonomie qui dépasse l'heure de leur destin historique [32] ». Elles parlent d'une « survie souvent anachronique » et de la fin historique des genres littéraires [33]; récemment, même — sous l'influence de l'esthétique de Brecht —, de la possibilité de modifier les fonctions *(Umfunktionieren)* des genres et des moyens artistiques déjà révolus, indépendamment de leur détermination sociale originaire, et de leur donner une nouvelle destination esthétique et sociale [34].

Citons comme exemple de cette orientation de la recherche le dernier ouvrage d'Erich Köhler sur l'histoire de la pastourelle [35]. Étudiant la problématique sociale et morale dans les pastourelles du troubadour Gavaudan, Köhler propose une nouvelle perspective : c'est à partir de la position idéologique de ce poète que se dégagerait une modification décisive des tendances du genre. Dans ses deux pastourelles, Gavaudan néglige consciemment une règle constitutive du genre, savoir : la distinction essentielle et irréductible entre *nobilitas* et *rusticitas* (sa bergère représente la somme des expériences de toutes celles qui l'ont précédée). Dans cette rencontre entre un chevalier et une bergère, l'amour courtois et l'amour commun sont réconciliés, mais au prix d'une surenchère illusionniste, car Gavaudan a recours à des éléments oubliés de la poésie bucolique, qui rappellent le paradis terrestre avant la chute. Or, ce caractère utopique renvoie, selon E. Köhler, à des contradictions non résolues de la réalité sociale. Gavaudan, élève de Marcabru, tenta de combler le fossé entre la chevalerie et le peuple à l'aide du thème de l'amitié *(amistat)* entre le chevalier et la bergère. Le caractère utopique de cette réconciliation correspond à une

32. W. Krauss, *op. cit.,* p. 9.
33. *Ibid.,* p. 8-9.
34. W. Mittenzwei, « Die Brecht-Lukács-Debatte », *Das Argument,* mars 1968, p. 12-34 ; et aussi K. Košik, *Die Dialektik des Konkreten,* Francfort, 1967 ; cf. Striedter, *op. cit.,* p. LXXVIII.
35. E. Köhler, « Die Pastourellen des Troubadors Gavaudan », *Esprit und arkadische Freiheit...,* p. 67-82.

contradiction effective entre l'idéal de l'amour courtois et la réalité du monde courtois, et conduit au cas limite de la pastourelle, anticipant ainsi l'extinction du genre.

## VI

Un deuxième exemple tiré des recherches de sociologie littéraire peut servir d'introduction à cette catégorie des modifications de structure qui donnent naissance à un nouveau genre. La chanson-sirventes, qui, avec ses quarante-neuf poèmes et la définition qu'en donna Folquet de Romans, constitue sans doute un genre, fut l'un des plus anciens sujets d'irritation pour les études provençales, du fait de son « caractère composite ». La chanson-sirventes relie en effet le thème de l'amour à celui de la politique. Mais, grâce à cette double thématique, elle rétablit — comme le montre Köhler — l'unité originaire de l'éloge de la femme et du service du seigneur, qui n'étaient pas encore distincts dans le *vers* de la première poésie des troubadours, mais se séparèrent par la suite en passant dans les deux genres *chanson* et *sirventes*. Le système historique de cette poésie démontre ainsi d'abord comment une modification de structure (séparation entre la thématique amoureuse et la thématique satirique) produit deux genres nouveaux, « plus purs », et comment le besoin de rendre à nouveau sensible l'unité des deux genres perdue dans les structures unilatérales fait surgir le principe structurel antithétique d'un nouveau genre autonome [36].

La forme d'un genre nouveau peut également sortir des modifications structurelles qui font qu'un groupe de genres simples déjà existants s'insère dans un principe d'organisation supérieur. L'exemple classique est ici la *novella* toscane créée par Boccace, qui imposa ses normes à toute l'évolution ulté-

36. E. Köhler, « Sirventes-Kanzone : *genre bâtard* oder legitime Gattung ? », *Mélanges R. Lejeune,* 1969, p. 172.

rieure de la nouvelle comme genre moderne. D'un point de vue génétique, le *Decameron* de Boccace a intégré une variété étonnante de genres narratifs ou didactiques plus anciens : des formes médiévales telles qu'exemplum, fabliau, légende, miracle, lai, vida nova, casuistique amoureuse, des récits orientaux, Apulée et l'histoire d'amour milésienne, des histoires et anecdotes florentines. Selon Hans Jörg Neuschäfer [37], Boccace a transposé la diversité thématique et formelle ainsi trouvée dans la structure inconvertible d'un genre nouveau au moyen d'une transformation repérable, dont les règles peuvent être déterminées comme la temporalisation des schémas de l'action, du point de vue de la forme, et comme la problématisation des normes morales, du point de vue du contenu. La démarche qui conduit des formes narratives et didactiques plus anciennes vers la structure du genre de la nouvelle où elles s'intègrent peut être décrite à travers les oppositions suivantes : personnages à pôle unique ou à pôle double, action présentée comme typique ou comme cas unique, caractère définitif ou ambivalent des normes morales, fatalité transcendante ou affirmation de l'autonomie de l'homme. Les caractéristiques que retiendra la théorie ultérieure de la nouvelle, telles que l' « événement extraordinaire » ou la solution d'un cas moral, ne suffisent pas, prises isolément, à fixer le genre : elles atteignent leur fonction spécifique et, par là, leur efficacité historique dans la structure de genre créée par Boccace. Cela ne veut naturellement pas dire que, dès lors, tous les éléments de cette structure devront se retrouver dans toutes les nouvelles ultérieures. Les successeurs de Boccace ne se contentent pas de reprendre simplement sa structure initiale : « Bien plus, on peut constater là un certain retour aux formes de récits exemplaires et de facéties du Moyen Âge, que Boccace n'a nullement « dépassées » une fois pour toutes, mais on y peut aussi... découvrir des formes de récits nouvelles et indépendantes [38]. » Dans sa

37. H. J. Neuschäfer, *Boccaccio und der Beginn der Novellistik*, Munich, 1969.
38. *Ibid.*, p. 8.

manifestation historique, la nouvelle accentuera à travers des variantes, tantôt simplificatrices (exemple, le *conte* drolatique), tantôt compliquées (exemple, la casuistique chez M^me de La Fayette), les différentes formes que comportait sa polygénèse.

Lorsque les théories de différents auteurs sont trop limitées ou trop partielles pour coïncider avec le processus à travers lequel s'épanouit et se rectifie progressivement le système du genre, il ne faut pas conclure de la contradiction entre théorie poétique et production littéraire à la non-existence d'une forme typique de la nouvelle [39]. Bien plus, la coïncidence — jamais atteinte parfaitement — entre théorie et pratique, plus exactement entre théorie explicite, poétique immanente et production littéraire, fait à son tour partie des facteurs qui conditionnent en son processus la manifestation historique d'un genre littéraire. C'est pourquoi l'on ne peut opposer directement comme constituant la norme d'un genre une théorie qui fait autorité pendant un certain temps à la série d'œuvres réalisées dans la pratique. Ce qui s'interpose entre une théorie normative préalable et une série d'œuvres littéraires, c'est plutôt la poétique immanente qu'il faut repérer dans l'œuvre particulière dont elle détermine la structure. Et dans les cas où une norme théorique revendique une autorité universelle — ainsi la poétique d'Aristote par rapport à la littérature post-médiévale —, l'antagonisme entre la forme d'un genre faisant autorité et la poétique immanente peut devenir l'agent même qui provoque et maintient l'évolution historique des genres.

Étant donné que les genres populaires de la littérature médiévale ne se sont pas, quant à eux, développés à partir d'un canon préexistant et en s'opposant à lui, on ne peut vérifier le système qu'ils constituent qu'à partir de leur poétique immanente et dans la constance ou la variabilité de différents éléments structurels qui font ressortir la continuité d'un genre.

---

39. Ainsi W. Pabst, *Novellentheorie und Novellendichtung*, Heidelberg, 2^e éd., 1967.

Cette méthode sous-entend nécessairement le cercle herméneutique, mais non le cercle organiciste de la perfection. Là où il n'existe pas de norme établie et décrite d'un genre, il est nécessaire de dégager la structure en étudiant différents textes, en anticipant toujours une totalité possible ou bien le système régulateur d'une série de textes. K. Viëtor avait déjà fait remarquer que

> Elle se développe dans le temps en des réalisations particulières toujours nouvelles, sans jamais toucher au but. Car ce développement n'a pas du tout de but ; il ne veut pas trouver le repos dans un accomplissement, mais se réaliser de façon toujours neuve. L'histoire d'un genre ne connaît de terme qu'historique, de même qu'elle a un commencent dans le temps [40].

Comme les traits caractéristiques d'un genre ne suffisent pas par eux-mêmes à fonder la qualité artistique d'un texte littéraire, l'idée que la perfection d'une œuvre est égale à la pureté avec laquelle elle reproduit le modèle du genre est un préjugé spécifiquement classique. Dans la littérature médiévale on voit bien que ce sont justement des chefs-d'œuvre comme *la Chanson de Roland,* les romans de Chrétien de Troyes, les premières branches du *Roman de Renart,* l'allégorie amoureuse de Guillaume de Lorris, *la Divine Comédie* qui montrent à quel point les conventions d'un genre peuvent être dépassées. On constate ainsi que les textes antérieurs de chaque genre n'ont pas suivi une évolution nécessaire et prévisible vers leur point de perfection possible, pas plus que les chefs-d'œuvre n'ont fourni le modèle d'un genre que les épigones n'auraient eu qu'à reproduire pour s'assurer le succès.

Si l'on s'en tient au principe fondamental de l'historisation du concept de forme et que l'on considère l'histoire des genres littéraires comme le processus temporel de l'établissement et de la modification continus d'un horizon d'attente, il faut remplacer toutes les images d'évolution, de maturité et de décadence

40. K. Viëtor, *op. cit.,* p. 304 (ici même, p. 28).

par des concepts non téléologiques permettant l'expérimenta-
tion d'un nombre limité de possibilités. Dans cette conceptuali-
sation, un chef-d'œuvre se définit par une modification aussi
inattendue qu'enrichissante de l'horizon d'un genre, sa préhis-
toire se définit par une marge encore largement ouverte de
possibilités, l'évolution d'un genre vers son terme historique par
l'épuisement des dernières possibilités violant déjà la latitude
qui lui était impartie[41]. Mais l'histoire d'un genre, placée dans
cette perspective, sous-entend également une réflexion sur ce
que l'observateur ne pourra voir que rétrospectivement : savoir
— ce qui rend discernables les commencements et définitives les
fins — le rôle de certaines œuvres saillantes qui créent ou
abolissent une norme et, finalement, la signification historique
ou esthétique des chefs-d'œuvre, qui se modifie en même temps
que l'histoire de leur réception et de leur interprétation ultérieure et qui jette une lumière nouvelle sur ce que l'on peut dire
des avatars de l'histoire du genre dont ils font partie. Car les
genres littéraires, vus sous l'angle de leur réception, sont soumis
eux aussi à la dialectique de l'histoire antérieure et postérieure,
dès lors que — comme le remarque Walter Benjamin —, en
vertu de leur histoire postérieure, « leur histoire antérieure peut
être vue dans une transformation continue[42] ».

## VII

La théorie des genres littéraires ne doit pas s'en tenir aux
structures propres à l'histoire de genres clos ; il faut envisager la
possibilité d'une systématisation historique. Si, depuis des

41. Pour ce dernier aspect, je renvoie à mes travaux sur les épigones
du *Roman de Renart ;* cf. H. R. Jauss, *Untersuchungen zur mittelalterlichen Tierdichtung,* Tübingen, 1959 (*Zeitschrift für romanische Philologie,* suppl. C), chap. v, ainsi que *Cultura Neolatina,* 21 (1969), p. 214-
216 et *Mélanges Delbouille,* 1964, vol. II, p. 291-312.
42. « Eduard Fuchs, der Sammler und Historiker », *Angelus Novus,*
Francfort, 1966, p. 303.

dizaines d'années, aucune tentative n'a été entreprise pour intégrer les genres littéraires d'une époque dans l'ensemble des manifestations synchroniques, cela tient peut-être au fait que l'étude normative des genres est tombée dans un profond discrédit et que toute systématisation a été qualifiée de simple spéculation. Le point de vue selon lequel la théorie moderne des genres ne peut procéder que de manière descriptive et non par définitions n'exclut nullement la possibilité de parvenir, par les voies de la description synchronique et de l'enquête historique, sinon à un système de genre *unique,* du moins à une série historique de tels systèmes. Même la littérature médiévale romane n'est pas simplement une somme arbitraire, mais un ordre latent ou une suite d'ordres de genres littéraires. Cet ordre nous est donné dans quelques témoignages d'auteurs médiévaux et par le choix et l'ordonnance des textes dans des collections de manuscrits encore inexploités en ce sens. De même la poétique latine, qui n'est pourtant le plus souvent que la transmission d'un matériel didactique et ne peut guère fournir de normes pour la littérature populaire, pourrait être utilisée d'un point de vue heuristique pour le repérage et la délimitation des caractéristiques des genres.

La rhétorique et la poétique des Anciens ont fourni au Moyen Âge quatre schémas de classement qui pouvaient de différentes façons servir à la théorie des genres en tant que modalités du discours *(genus demonstrativum, deliberativum, iudicialis),* du style *(genera dicendi : humile, medium, sublime)*, de la forme de la représentation *(genus dramaticum, narrativum, mixtum)* et des objets *(tres status hominum : pastor otiosus, agricola, miles dominans)* [43]. La doctrine des trois genres du discours et de leurs sous-genres n'a pas été développée en un système de classification des genres littéraires correspondants ; il reste à vérifier si elle apporte quelque chose à la littérature oratoire qui apparaît d'abord en Italie. Les trois *genera dicendi* se distinguaient dans la tradition antique essentiellement d'après les éléments formels

43. E. De Bruyne, *Études d'esthétique médiévale,* Bruges, 1946, en particulier vol. II, p. 42.

(choix du vocabulaire, mètre, images, ornements) des trois niveaux du style. A ce point de vue, la réception médiévale a su dépasser quelque peu la théorie antique. Des auteurs du XII<sup>e</sup> et XIII<sup>e</sup> siècle introduisent le concept de « style » *(sunt igitur tres styli : humilis, mediocris, grandiloquus)*, qu'ils ne définissent plus seulement d'après les moyens utilisés pour la description, mais aussi d'après l'objet de cette dernière (c'est-à-dire le rang social des personnes représentées et les objets de leur environnement) [44]. Le modèle utilisé fut ici l'interprétation remontant à Servius et Donat des œuvres de Virgile, qui aurait représenté dans *les Bucoliques, les Géorgiques et l'Énéide* trois couches sociales (bergers, paysans, guerriers) dans le style qui leur convenait, donc dans les trois niveaux correspondants de style. Sans doute le Moyen Âge n'a-t-il cultivé que la poésie bucolique et non la géorgique, et *l'Énéide* n'a jamais été comparée à *la Chanson de Roland*. Pourtant, le principe de classification élaborée par Jean de Garlande et qui suit le rang social des personnages trouve du moins une correspondance dans les genres de l'épopée et du roman en langue vulgaire, qui, dans leurs règles du jeu, s'en tiennent rigoureusement à la hiérarchie sociale.

La théorie des trois formes de représentation se conformant au système du grammairien Diomède *(narrativum* lorsque l'auteur parle en son nom, *dramaticum* lorsque les personnages parlent, *mixtum* lorsque auteur et personnages prennent la parole alternativement) a atteint une efficacité particulière au Moyen Âge grâce à Bède et Isidore. La tripartition de Diomède, qui part de la caractéristique formelle la plus externe, a semé plus de confusion sur la fonction des genres antiques (par exemple sur le théâtre antique, si bien qu'il fallut rechercher et élaborer à nouveau la structure des pièces jouables) qu'elle n'a créé de distinctions fécondes. C'est Jean de Garlande qui a rétabli l'ordre dans cette tradition. Sa *Poetria*, qui est une synthèse des *Artes dictaminis* et des *Artes poeticae*, intègre la

---

44. D'après E. Faral, *Les Arts poétiques du XII<sup>e</sup> et du XIII<sup>e</sup> siècle*, Paris, 1924, p. 87.

division en trois dans une somme nouvelle des genres littéraires, articulée systématiquement suivant quatre points de vue : *1)* la forme verbale (*prose* ou *mètre,* la première divisée en quatre genres : technographique ou scientifique, historique, épistolaire, rythmique et mise en musique) ; *2)* la forme de la représentation (*quicumque loquitur* : la tripartition de Diomède) ; *3)* le degré de réalité de la narration (trois *species narrationis* : *res gesta* ou *historia, res ficta* ou *fabula, res ficta quae tamen fieri potuit* ou *argumentum*) ; *4)* les sentiments exprimés dans les œuvres (de *differentia carminum,* articulation en quatre qui développe une distinction, en *genera tragica, comica, satirica, mimica,* mentionnée par Diomède et le *Tractatus coislinianus*) [45]. On peut supposer que le système des genres de la *Poetria* de Jean de Garlande ne s'est pas constitué de façon purement déductive, mais que ce dernier a tenté — avec son abondance de définitions concernant le contenu — de mettre de l'ordre dans la littérature, telle qu'elle s'était formée dans la réalité du XIIIe siècle. En faveur de cette hypothèse on peut apporter au moins deux arguments. Alfred Adler a démontré que l'*historicum* (c'est-à-dire le genre de la satire dans la quatrième rubrique), dans la définition donnée par Jean de Garlande, décrit très exactement l'étendue et la fonction de ces formes littéraires du XIIIe siècle que l'on peut considérer comme les débuts de la satire politique [46]. Et la distinction aussi bien thématique que stylistique entre tragédie *(carmen quod incipit a gaudio et terminat in luctu)* et comédie *(carmen iocosum incipiens a tristitia et terminans in gaudio)* reparaît dans la théorie des genres que mentionne la lettre de Dante à Can Grande et correspond à la structure et au titre (ultérieur) de *la Divine Comédie.*

On n'a pas réuni jusqu'à présent les témoignages d'auteurs populaires qui révéleraient des relations synchroniques ou des systèmes partiels de genres littéraires. L'un des exemples les plus impressionnants nous est donné par le prologue des parties les plus anciennes du *Roman de Renart :*

45. E. De Bruyne, *op. cit.,* vol. II, p. 18 *sq.* — 46. Cf. note 13.

> *Seigneurs, oi avez maint conte*
> *Que maint conterre vous raconte,*
> *Conment Paris ravi Elaine,*
> *Le mal qu'il en ot et la paine :*
> *De Tristan dont la Chievre fist,*
> *Qui assez bellement en dist*
> *Et fablius et chançon de geste*
> *Maint autre conte par la terre.*
> *Mais onques n'oistes la guerre,*
> *Qui tant fu dure de grant fin,*
> *Entre Renart et Ysengrin* (éd. Martin, Br. II, 1-11).

Le jongleur qui vante son sujet comme une nouveauté le détache d'une série d'œuvres et de genres bien connus : Troie (roman antique), Tristan (roman breton), fabliau, chanson de geste, et une fable non identifiée (peut-être une version populaire d'Ysengrin ?). Cette liste des œuvres à la mode en 1176-1177 permet de saisir un système littéraire dans la mesure où les genres représentés ne sont pas choisis au hasard, mais constituent ce que j'appelle un horizon d'attente : les œuvres citées dans le prologue servent de toile de fond au *conte* nouveau où, dès qu'éclate l'hostilité entre le renard et le loup, tout contredit et souvent parodie les genres antérieurs, l'esprit héroïque de l'épopée chevaleresque de même que la conception courtoise de l'amour [47]. Vers la fin du XIII^e siècle, Jean Bodel constate au début de *Saisnes* qu'il n'existe que trois genres épiques pour le connaisseur ; il les désigne d'après les sujets (*materes*) et les classe aussitôt d'après leur degré de réalité, plaçant en tête le genre dont fait partie sa propre œuvre :

> *Li conte de Bretaigne sont si vain et plaisant.*
> *Cil de Rome sont sage et de sens aprendant.*
> *Cil de France sont voir chacun jour aparant* (v.9-11).

Dans cette gamme, la chanson de geste et le roman breton correspondent à l'opposition entre *res gesta* et *res ficta* (cette

---

47. Cf. H. R. Jauss, *Untersuchungen zur mittelalterlichen Tierdichtung, op. cit.,* chap. IV A.

dernière interprétée ici comme merveilleuse et divertissante) que nous avons trouvée dans les *species narrationis* de Jean de Garlande ; pour *l'argumentum (probable)*, c'est le roman antique « instructif » qui intervient.

En ce qui concerne la poésie lyrique, mentionnons le *De vulgari eloquentia* de Dante, dont la deuxième partie est une poétique se rapportant à la poésie en langue populaire et qui cite comme genres le *modus* de la canzone, de la ballata, du sonnet et d'autres *illegitimos et irregulares modos* (II, 3). En même temps, Dante introduit comme thèmes dignes du style soutenu le bien public *(salus)*, l'amour *(Venus)* et l'éthique *(Virtus)*. Cette articulation ne correspond pas à une division en genres, mais à une nouvelle poétique des styles. Car de tels thèmes « ne sont pas considérés comme motivant le style soutenu, mais comme moyens de sa réalisation [48] ». Cela ne s'oppose en rien à l'existence de structures spécifiques de genre. Les genres nouveaux de poésie lyrique créés par les Provençaux en langue populaire romane ne se sont certainement pas développés isolément, mais dans une dépendance et une répartition réciproque des fonctions. On comprendra mieux de telles répartitions et de tels changements de fonction à l'intérieur d'un système lyrique lorsque l'on aura écrit l'histoire de tous les genres connus et qu'on l'aura étudiée en relation avec les poétiques ultérieures : *Razos de trobar* de Raimon Vidal, *Leys d'amor* nés à Toulouse également à la fin du XIII<sup>e</sup> siècle, *Dreita manera de trobar* du *Consistorio del gay* fondé en 1287 à Barcelone, *l'Art de dictier et de fere chançons* d'Eustache Deschamps, traité remontant au canon de Toulouse, et l'*Art de trovar* d'Enrique Villena. Citons encore l'inventaire le plus ancien de la poésie provençale, que Guilhem Molinier introduisit dans ses *Leys d'amor* entre 1328 et 1355. Il distingue dix genres principaux et dix-sept genres secondaires. Parmi les premiers : *canso, sirventes, dansa, descort, tenso, partimen, pastorela, planh, escondig.* Certains des seconds servaient d'accompagnement aux danses ; certains

---

48. H. Friedrich, *Epochen der italienischen Lyrik,* Francfort, 1964, p. 90.

autres sont difficiles à identifier du fait que nous n'en avons pas
recueilli d'exemple. Ce système des grands genres littéraires fut
remplacé au tournant du XIII$^e$ siècle par le système nouveau de
ce que l'on appelle les « genres à formes fixes ». Ce changement
de dénomination est lié, selon Daniel Poirion [49], à une modification des relations entre la musique et le texte : tandis qu'au
cours du XIII$^e$ siècle le rythme musical déterminait seul la poésie
lyrique, bientôt le texte poétique et la mélodie polyphonique se
séparèrent pour évoluer indépendamment l'un de l'autre. Au
début, la poésie lyrique menace de disparaître complètement :
« Ni les *motets* qui superposent des textes inaudibles, ni les *dits*
qui riment de longs discours ne gardent l'originalité de la poésie
lyrique. » Mais, à partir du début du XIV$^e$ siècle, se constitue un
système nouveau de genres littéraires : rondeau et virelai, chant
royal et ballade, lai et complainte, dont le *Remède de Fortune* de
Guillaume de Machaut servira de modèle aux poètes de la cour,
tandis qu'on voit s'amorcer à partir du *dit* narratif l'évolution
vers la poésie subjective que représentera surtout l'œuvre de
Villon.

## VIII

A la dernière étape d'une théorie des genres littéraires, on
constate qu'un genre existe aussi peu pour lui seul qu'une œuvre
individuelle. Cela est moins évident qu'il ne peut sembler, si l'on
voit comment les histoires de la littérature présentent les
genres : une juxtaposition de formes closes qui se sont développées séparément et dont la cohérence ne tient le plus souvent
qu'au cadre extérieur que fournissent les traits caractéristiques
d'une époque. Or, le principe d'une historisation du concept de
forme n'exige pas seulement que l'on renonce à la vision
substantialiste d'un nombre constant de qualités qui, dans leur
immuabilité, fonderaient un genre déterminé. Il faut aussi se

---

49. D. Poirion. *Le Poète et le Prince. L'évolution du lyrisme courtois
de Guillaume de Machaut à Charles d'Orléans,* Paris, 1965, p. 313-316.

débarrasser de l'idée d'une juxtaposition de genres clos sur eux-mêmes et chercher leurs interrelations, qui constituent le système littéraire à un moment historique donné. Pour les interrelations diachroniques et synchroniques entre genres littéraires d'une même époque, les formalistes russes ont commencé d'élaborer des méthodes qu'il serait certainement profitable d'appliquer à la littérature médiévale [50].

Pour les formalistes, la conception du genre est en relation avec la tentative de remplacer l'idée classique de la tradition littéraire comme déroulement continu, unilinéaire et cumulatif, par le principe dynamique de l'*évolution* littéraire, qu'on ne devrait pas confondre avec la croissance organique ou la sélection darwinienne. Car l'*évolution* doit désigner ici le phénomène de la *succession* littéraire, non pas « dans le sens d'une *évolution* continue, mais dans le sens d'une *lutte* et d'une *rupture* avec les prédécesseurs immédiats, en même temps qu'un retour à des phénomènes plus anciens [51] ». *L'évolution historique de la littérature, vue ainsi, permet de saisir les genres littéraires dans l'alternance périodique de leur rôle dominant ou dans les rivalités éclatant entre des genres voisins. Cette théorie a pour base une « hiérarchie des genres », qui se modifie sans cesse :*

> *Pour les formalistes, l'époque, elle aussi, est un système caractérisé par un état d'esprit spécifique et les dominantes* qui lui correspondent. En vertu de cet état d'esprit (ou intention générale), des genres susceptibles de lui prêter une expression adéquate prennent la tête de la hiérarchie et deviennent ainsi *dominants* à une époque. Ce peut être le fait de genres tout à fait nouveaux, mais aussi de genres riches en tradition, dont la structure a été modifiée conformément à la nouvelle intention [52].

50. Résumé chez J. Striedter, *op. cit.*, p. LX-LXX.
51. *Ibid.*, p. LXV.
52. *Ibid.*

D'un point de vue diachronique, l'alternance historique en ce qui concerne la domination d'un genre apparaît dans les trois phases de : la canonisation, la création d'automatismes et le changement de fonctions. Les genres à succès de la littérature d'une époque perdent progressivement leur efficacité parce qu'ils sont continuellement reproduits ; ils sont supplantés par des genres nouveaux, issus souvent d'une couche vulgaire, et repoussés à la périphérie, quand ils ne sont pas renouvelés par une modification structurelle — que ce soit par la mise en vedette de thèmes ou de procédés réprimés jusqu'alors ou par l'adoption de matériaux ou de fonctions pris à d'autres genres [53]. On peut citer, à l'appui de cette théorie, l'avènement du roman courtois dans la littérature romane du Moyen Âge : vers le milieu du XII<sup>e</sup> siècle, il disputa la place dominante à la chanson de geste qui le précédait [54] ; puis ce fut l'apparition du roman en prose, qui s'affirma vers la fin du XIII<sup>e</sup> siècle avec une nouvelle prétention à la vérité ; finalement ce fut le triomphe de l'allégorie, attesté vers 1234-1235 par Guillaume de Lorris et par Huon de Méry, dans son prologue au *Tournoiement de l'Antéchrist* — ouvrage annoncé comme *novel pensé* et *matire* inconnue jusqu'ici, tandis que le monde d'Arthur, des modèles de Chrétien de Troyes, Raoul de Houdenc et leurs épigones est dès lors considéré comme dépassé. A la différence de ce qui se passe pour les exemples que les formalistes choisissent le plus souvent dans la littérature moderne, il manque à l'histoire des genres des XII<sup>e</sup> et XIII<sup>e</sup> siècles une couche comparable de « sous-littérature ». Les genres nouveaux et dominants comme le roman courtois en vers, les premiers romans en prose et l'épopée allégorique ne sont pas une consécration de genres inférieurs, ils

---

53. Le modèle d'une telle analyse historique des genres a été donné par Tynjanov pour l'ode (J. Tynjanov, « Die Ode als rhetorische Gattung » (1922), *Texte der russischen Formalisten ;* des exemples de la « pénétration des procédés du genre vulgaire dans le genre élevé » sont cités par B. Tomachevski, « Thématique » (1925), *Théorie de la littérature,* T. Todorov (éd.), Paris, 1965, p. 304 *sq.*

54. Cf. E. Köhler, « Zur Entstehung des altfranzösischen Prosaromans », *Trobadorlyrik und höfischer Roman,* Berlin, 1962.

sont le résultat d'un changement de fonction : l'octosyllabe narratif à rime paire préexistait dans les chroniques rimées, comme la prose dans l'historiographie et la forme allégorique dans la poésie religieuse.

Le changement de fonctions ou l'adoption des fonctions d'autres genres révèle la dimension synchronique dans le système littéraire d'une époque. Les genres littéraires n'existent pas isolément, ils constituent les différentes fonctions du système littéraire de l'époque et mettent l'œuvre individuelle en relation avec ce système :

> Une œuvre que l'on arrache au contexte d'un système littéraire pour la transporter dans un autre reçoit une coloration différente, acquiert d'autres caractéristiques, s'intègre dans un autre genre et quitte celui d'où elle venait, en d'autres mots, sa fonction est soumise à un déplacement [55].

On pourrait également le montrer à partir de la réception de la « matière de Bretagne » : du fait que les conteurs français et leur public ne comprenaient plus la signification de leurs histoires par rapport à la mythologie et au monde légendaire celte et gallois, celles-ci recevaient une coloration merveilleuse et féerique. C'est cette fictionnalité, issue d'un mythe étranger et conditionnée par un processus de réception, qui distingue le plus nettement le roman d'Arthur de la chanson de geste issue de la légende historique et de l'histoire des martyrs. Compte tenu de la rivalité entre ces deux genres, on pourrait trouver des aspects nouveaux à leur histoire. C'est ainsi que l'on pourrait certainement enrichir l'histoire de la littérature courtoise si on la considérait à l'intérieur du système de relations historiques des genres qui l'entourent, et surtout de ceux qui la nient : branches du *Roman de Renart* avec sa « satire moqueuse » des milieux de cour et de chevalerie, facéties en vers (fabliaux) qui procèdent avec verdeur à la distorsion souvent grotesque des mœurs

55. J. Tynjanov, *op. cit.*

courtoises, *dits,* sermons et traités de morale aux préceptes
rigoureux et parsemés de polémiques contre le monde courtois.
Il serait particulièrement intéressant d'étudier la répartition des
fonctions dans les genres mineurs didactiques et dans les
narrations brèves ; on donnerait là un pendant aux « formes
simples » d'André Jolles, et on apporterait sûrement d'instruc-
tives variantes historiques au système de ce dernier pour le
domaine de la littérature romane[56].

## IX

La théorie formaliste s'est imposé de décrire l'histoire des
genres uniquement comme un processus immanent à l'évolution
et à la substitution de systèmes littéraires. Elle a fait abstraction
de la fonction des genres littéraires dans l'histoire sociale et la
réalité quotidienne, elle a exclu les problèmes de la réception et
de l'influence sur le public contemporain et ultérieur, considérant que ce serait du sociologisme et du psychologisme. Pourtant, l'historicité de la littérature ne s'épuise pas dans une
succession de systèmes, fonctions et formes dominantes ou dans
les modifications de la hiérarchie des genres. Il ne suffit pas de
mettre en relation la « série littéraire » d'un côté avec la langue
ou « fonction verbale », de l'autre côté avec les « séries non
littéraires ». Étant donné que les genres littéraires sont enra-
cinés dans la vie et ont une fonction sociale, l'évolution littéraire
doit elle aussi être définie par sa fonction dans l'histoire et
l'émancipation de la société, la succession des systèmes littéraires être étudiée dans leur corrélation avec le processus
historique général. Il est vrai que J. Mukarovsky, donnant suite
à la théorie formaliste, estime que l'évolution littéraire et
l'évolution sociale devraient être étudiées dans leurs interrelations structurelles[57]. Mais cette première ouverture de la théorie

56. A. Jolles, *op. cit.*
57. *Kapitel aus der Poetik*, Francfort, Suhrkamp, 1967, p. 230.

formaliste sur les relations entre littérature et société exige encore une ouverture sur les fonctions de la littérature vue sous l'angle de sa réception : nous avons vu que les genres littéraires en tant que cadres d'orientation nous permettent justement de saisir ces fonctions. L'étude des interrelations entre littérature et société, entre l'œuvre littéraire et le public, échappera d'autant plus à la simplification sociologique et psychologique qu'elle reconstruira cet horizon d'attente des genres qui constitue d'avance l'intention des œuvres et la compréhension des lecteurs, et par là nous fait ressaisir une situation historique dans son actualité révolue.

Les littératures anciennes restent le plus souvent muettes sur les questions concernant la fonction, la réception et l'influence des œuvres et des genres littéraires dans leur réalité historique et leur environnement social, et les rares documents de l'histoire sociale ne nous apportent guère une réponse directe. C'est pourquoi la méthode structuraliste et l'étude de la littérature sous l'angle de sa réception et de son expansion dans la vie sociale [58], méthodes qui tentent de préciser la position historique et la fonction sociale des œuvres au point de rencontre de la synchronie (système des relations entre genres, thèmes et personnages) et de la diachronie (relation avec les traditions antérieures et postérieures), prennent une importance particulière [59]. La littérature médiévale offre à la recherche à venir une tâche séduisante, justement parce que son éloignement dans l'histoire n'a laissé que l'image fragmentaire d'une vie différente qui souvent nous déconcerte. On ne peut plus ignorer aujourd'hui que la foi des humanistes dans une tradition indéchirable

---

58. Les possibilités d'étudier des genres du Moyen Age dans la dimension de leur réception ont été montrées par Jean Rychner, *La chanson de geste : Essai sur l'art épique des jongleurs*, Genève, 1955, pour l'épopée héroïque en ancien français. Son exigence méthodique appliquée au « style oral », à la technique et à la diffusion orale de l'épopée en ancien français (« La chanson de geste, diffusée dans ces conditions, doit avoir été composée pour ces conditions ») doit valoir aussi pour les autres genres en langue populaire.

59. Je renvoie à ce sujet à mon étude : *Literaturgeschichte als Provokation der Literaturwissenschaft* (cf. *supra*, n. 19).

des formes littéraires classiques et dans la présence intemporelle des chefs-d'œuvre nous a fait oublier combien l'éloignement de la littérature médiévale dans le temps est grand et combien différente est sa nature. Entre les formes et les genres du Moyen Âge et la littérature actuelle, il n'existe pas de continuité historique visible ou repérable. La réception de la poétique antique et du canon antique des genres a coupé radicalement le fil de la tradition littéraire à l'époque de la Renaissance. La redécouverte de la littérature médiévale par les philologues de l'époque romantique a favorisé la formation d'une idéologie de la continuité, manifeste dans l'unité substantielle de toute littérature nationale, mais n'a pas réussi à ramener le canon médiéval des genres et des œuvres dans une nouvelle production littéraire. Les formes et genres de la littérature moderne sont issus d'un courant qui s'opposait au canon classique et humaniste : la poésie lyrique des troubadours n'a pas plus donné une impulsion aux *Fleurs du mal* que le roman chevaleresque n'a servi de modèle à *l'Éducation sentimentale* ou les Mystères au théâtre moderne non aristotélicien.

Il ne faudrait pas en conclure que la théorie et l'histoire des genres littéraires du Moyen Âge ne sauraient contribuer à la compréhension de la littérature actuelle. Ce qu'elles peuvent nous apporter, et ce qui peut leur rendre une actualité prometteuse, n'apparaîtra avec évidence que lorsque nos rapports avec le Moyen Âge seront libérés du mythe des commencements, c'est-à-dire de l'idée que c'est à cette époque que se situe l'étape préliminaire, le début conditionnant toute l'évolution ultérieure de la littérature française ou allemande. Ce n'est pas en tant que commencement ne trouvant sa signification que dans une fin éloignée, dans une littérature nationale pleinement développée, mais parce qu'elle est un commencement signifiant par lui-même, que la littérature du Moyen Âge pourra redevenir un paradigme irremplaçable — parce qu'elle est la manifestation d'un mouvement autonome qui se forme dans les langues populaires, dont les genres archaïques, en témoignant, et de l'idéal et de la réalité d'un monde historique clos, nous révèlent des structures élémentaires dans lesquelles s'affirme sous un autre jour le rôle social (émancipateur ou conservateur), et créateur de communication, de toute activité littéraire.

*Traduit de l'allemand
par Éliane Kaufholz*

## BIBLIOGRAPHIE SÉLECTIVE

### A. THÉORIE DES GENRES LITTÉRAIRES

AUERBACH (E.), *Literatursprache und Publikum in der lateinischen Spätantike und im Mittelalter,* Berne, 1958.

BAUSINGER (H.), *Formen der Volkspoesie,* Berlin, 1968.

BEHRENS (I.), *Die Lehre von der Einteilung der Dichtkunst,* Halle, 1940.

BRUNETIÈRE (F.), *La Doctrine évolutive et l'Histoire de la littérature,* Paris, 1899 (*Études critiques sur l'histoire de la littérature française,* 6ᵉ série).

BULTMANN (R.), *Die Geschichte der synoptischen Tradition,* Göttingen, 6ᵉ éd., 1964.

COSERIU (E.), « Thesen zum Thema Sprache und Dichtung », *Beiträge zur Texlinguistik,* W. D. Stemple (éd.), Munich, Fink, 1970.

CROCE (B.), *Estetica,* Bari, 1902.

CURTIUS (E. R.), *La Littérature européenne et le Moyen Âge latin* (trad. franç.), PUF, 1956.

DE BRUYNE (E.), *Études d'esthétique médiévale,* 3 vol., Bruges, 1946.

ECKERT (G.), *Über die bei den afr. Dichtern vorkommenden Bezeichnungen der einzelnen Dichtungsarten,* Diss. Heidelberg, 1895.

FARAL (E.), *Les Arts poétiques du XIIᵉ et du XIIIᵉ siècle,* Paris, 1924.

FUBINI (M.), « Genesi e storia dei generi letterari », et « Nuove questioni sui generi e la critica », *Critica e poesia,* Bari, 1956, p. 143-311.

*Los generos literarios de la Sagrada Escritura* (Congrès de sciences ecclésiastiques, Salamanque, 1954), Barcelone, 1957.

GUIETTE (R.), « D'une poésie formelle en France au Moyen Âge », *Revue des sciences humaines,* 54 (1949), p. 61-68.

HANKISS (J.), « Les genres littéraires et leur base psychologique », *Helicon,* 2 (1939), p. 117-129.

JAUSS (H. R.), *Literaturgeschichte als Provokation der Literaturwissenschaft,* Constance, 1967. Trad. fr. *in* Jauss, *Pour une esthétique de la réception,* Paris, 1978.

JOLLES (A.), *Einfache Formen : Legende, Sage, Mythe, Rätsel, Spiel, Kasus, Memorabile, Märchen, Witz,* Halle, 1930 ; 2ᵉ éd., 1956. Trad. fr., *Formes simples,* Paris, 1972.

KOCH (K.), *Was ist Formengeschichte ? Neue Wege der Bibelexegese,* Neukirchen-Vluyn, 2ᵉ éd., 1967.

KÖHLER (E.), *Esprit und arkadische Freiheit : Aufsätze aus der Welt der Romania,* Francfort-Bonn, 1966.

KRAUSS (W.), « Die literarischen Gattungen », in *Essays zur französischen Literatur,* Berlin-Weimar, 1968, p. 5-43.

KUHL (C.) et BORNKAMP (G.), « Formen und Gattungen », *Religion in Geschichte und Gegenwart : Handwörterbuch für Theologie und Religionswissenschaft,* Tübingen, 3ᵉ éd., 1958, t. II, p. 996-1005.

KUHN (H.), « Gattungsprobleme der Mittelhochdeutschen Literatur », *Sitzungsberichte der Bayer. Akad. d. Wiss.* (Phil.-Hist. Kl.), 1956, H. 4.

PETSCH (R.), « Zur Lehre von den ältesten Erzählformen », *Dichtung und Volkstum,* 35 (1934), p. 96-113.

POMMIER (J.), « L'idée de genre », *Publications de l'École normale supérieure, section des Lettres,* II (1945), Paris, p. 47-81.

PROPP (V.), « Les transformations des contes merveilleux », *in* T. TODOROV (éd), *Théorie de la littérature. Textes des formalistes russes,* Paris, 1965, p. 234-262.

QUADLBAUER (F.), *Die antike Theorie der genera dicendi im lat. Mittelalter,* Vienne, 1962.

ROBERT (A.) et FEUILLET (A.), *Introduction à la Bible,* Tournai, 1959.

RUTTKOWSKI (W.), *Die literarischen Gattungen,* Berne, 1968.

SENGLE (F.), *Die literarische Formenlehre,* Stuttgart, 1966.

SPINGARN (J. E.), « The New Criticism », *in* C. A. BROWN (éd.), *The Achievement of American Criticism,* New York, 1954, p. 525-546.

STEMPEL (W. D.), « Pour une description des genres littéraires », *Actes du XII^e Congrès international de linguistique romane,* Bucarest, 1968.

STRIEDTER (J.) (éd.), *Texte der russischen Formalisten,* t. I, Munich, 1969.

TOMACHEVSKI (B.), « Thématique » (1925), *in* T. TODOROV (éd.), *Théorie de la littérature,* Paris, 1965, p. 263-307.

« Travaux du 3^e Congrès international d'Histoire littéraire moderne » (Lyon, 1939), *Helicon,* 2 (1940).

TYNJANOV (J.), « Das literarische Faktum » (1924), *Texte der russischen Formalisten,* Striedter-(éd.), t. I, Munich, 1969, p. 392-431.

VAN TIEGHEM (P.), « La Question des genres littéraires », *Helicon,* 1 (1938), p. 95-101.

VIËTOR (K.), « Probleme der literatischen Gattungsgeschichte », *Deutsche Vierteljahresschrift für Literaturwissenschaft und Geitesgeschichte,* 9 (1931), p. 425-447. (Cf. *Geist uns Form,* Berne, 1952, p. 292-309.) Ici-même, p. 9-35.

VOSSLER (K.), *Die Dichtungsformen der Romanen,* Stuttgart, 1951.

WELLEK (R.) et WARREN (A.), *La Théorie littéraire,* Paris, 1971, chap. 17, « Les genres littéraires ».

## B. HISTOIRE DES GENRES PARTICULIERS

ASTON (S. G.), « The provencal planh : II the lament for a lady », *Mélanges R. Lejeune,* Gembloux, 1969.

BAADER (H.), *Die Lais : Zur Geschichte einer Gattung der altfranzösischen Kurzerzählungen,* Francfort, 1966.

BATTAGLIA (S.), « La poetica dei trovatori », *Romana,* 6 (1942), p. 137-157.

– « Dall'esempio alla novella », *Filologia Romanza,* 7 (1960), p. 21-84.

BEC (P.), *Les Saluts d'amour du troubadour Arnaud de Mareuil,* Toulouse, 1961.

BENDER (K. H.), *König und Vasall : Untersuchungen zur Chanson de geste des XII. Jahrhunderts,* Heidelberg, 1967.

BEYER (J.), *Schwank und Moral, Untersuchungen zum Altfranzösischen Fabliau und verwandten Formen,* Heidelberg, 1969.

*Chanson de geste und höfischer Roman* (Colloque de Heidelberg), Heidelberg, 1963.

CIRESE (A. M.), « Note per una nuova indagina sugli strambotti delle origini romanze », *Giornale Storico della Letteratura italiana,* 84 (1967), p. 492-499.

CUNHA (C.), *Estudios de poetica trovadoresca : Versificacâo e ecdótica,* Rio de Janeiro, 1961.

DELBOUILLE (M.), *Les Origines de la pastourelle,* Bruxelles, 1926.

EBEL (U.), *Das altromanische Mirakel : Ursprung und Geschichte einer literatischen Gattung,* Heidelberg, 1965.

FECHNER (J. U.), « Zum Gap in der altprovenzalischen Lyrik », *Germanisch-Romanische Monatsschrift, Neue Folge,* 14 (1964), p. 15-34.

FRANK (G.), *The Medieval French Drama,* Oxford, 1960.

FRAPPIER (J.), « Remarque sur la structure du Lai : Essai de définition et de classement », *La Littérature narrative d'imagination* (Colloque de Strasbourg, 1959), Paris, 1961, p. 23-39.

GENAUST (H.), *Die Struktur des altfranzösischen antikisierenden Lais,* Diss., Hambourg, 1965.

GOTH (B.), *Untersuchungen zur Gattungsgeschichte der Sottie,* Munich, 1967.

GUIETTE (R.), *La Légende de la sacristine : Étude de littérature comparée,* Paris, 1927.

JACKSON (W. T. H.), « The Medieval Pastourelle as Satirical Genre », *Philological Quarterly,* 31 (1952), p. 156-170.

JAUSS (H. R.), *Untersuchungen zur mittelalterlichen Tierdichtung,* Tübingen, 1959.

JEANROY (A.), « Les genres lyriques secondaires dans la poésie provençale du XIVe siècle », *Mélanges Pope,* 1939, p. 209-214.

JOLY (R.), « Les chansons d'histoire », *Romanistisches Jahrbuch,* 12 (1961), p. 51-66.

JONES (W. P.), *The Pastourelle, A study of the Origins and Traditions of a Lyric Type,* Cambridge (Mass.), 1931.

KELLERMANN (W.), « Über die altfranzösischen Gedichte des uneingeschränkten Unsinns », *Archiv für das Studium der neueren Sprachen,* 205 (1968), p. 1-22.

– « Ein Schachspiel des französischen Mittelalters : die Resveries », *Mélanges R. Lejeune,* 1969, p. 1331-1346.

KÖHLER (E.), *Trobadorlyrik und höfischer Roman,* Berlin, 1962.

– « Zur Struktur der altprovenzalischen Kanzone », *Esprit und arkadische Freiheit,* Francfort-Bonn, 1966, p. 28-45.

– « Die Pastourellen des Trobadors Gavaudan », *Esprit und arkadische Freiheit,* Francfort-Bonn, 1966, p. 67-82.

– « Sirventes-Kanzone : *genre bâtard* oder legitime Gattung ? » *Mélanges R. Lejeune,* 1969, p. 159-183.

LAFONT (R.), « Les Leys D'Amors et la mutation de la conscience occitane », *Revue des langues romanes,* 75 (1965), p. 13-59.

LE GENTIL (P.), *Le Virelai et le Villancico. Le problème des origines arabes,* Paris, 1954.

LEJEUNE (R.), « Ce qu'il faut croire des " biographies " provençales », *Le Moyen Âge,* 49 (1939), p. 233-249.

– « La forme de *l'ensenhamen au jongleur* du troubadour Guiraut de Cabreira », *Mélanges L. N. d'Olwer,* Barcelone, 1961-1966, t. II, p. 171-182.

LOWINSKY (V.), « Zum geistlichen Kunstlied in der altprovenzalischen Literatur bis zur Gründung des Consistori del Gai Saber », *Zeitschrift für französische Sprache und Literatur,* 20 (1898), p. 163-271.

MAILLARD (J.), *Évolution et Esthétique du lai lyrique des origines à la fin du XIV$^e$ siècle* (thèse), université de Paris, 1952-1961.

MASSÉ (H.), « Du genre littéraire " Débat " en arabe et en persan », *Cahiers de civilisation médiévale,* 4 (1961), p. 137-147.

MELLI (E.), « I " Salut " e l'epistolografia medievale », *C,* 30 (1962), p. 385-398.

MÖLK (U.), « Belh Deport. Über das Ende der provenzalischen Minnedichtung », *Zeitschrift für romanische Philologie,* 78 (1962), p. 358-374.

— *Trobar clus — trobar leu : Studien zur Dichtungstheorie der Trobadors*, Munich, 1968.

NEUMEISTER (S.), *Das Spiel mit der höfischen Liebe : Das Altprovenzalische Partimen*, Munich, 1969.

NEUSCHÄFER (H. J.), *Boccaccio und der Beginn der Novellistik*, Munich, 1969.

NYKROG (P.), *Les Fabliaux : Étude d'histoire littéraire et de stylistique médiévale*, Copenhague, 1967.

RATTUNDE (E.), *Li proverbe au vilain : Untersuchungen zur romanischen Spruchdichtung des Mittelalters*, Heidelberg, 1966.

RYCHNER (J.), *La Chanson de geste : Essai sur l'art épique des jongleurs*, Gent, 1955.

— *Contribution à l'étude des fabliaux*, Neuchâtel-Genève, 1960.

SEGRE (C.), « I volgarizzamenti del Due e Trecento » *Lingua, stile e società*, Milan, 1963, p. 49-78.

STOROST (J.), *Ursprung und Entwicklung des altprov. Sirventes bis auf Bertran de Born*, Halle, 1931.

TIEMANN (H.), *Die Entstehung der mittelalterlichen Novelle in Frankreich*, Hambourg, 1961.

TYNJANOV (J.), « Die Ode als rhetorische Gattung » (1922), *Texte der russischen Formalisten*, Strieder (éd.), t. I, Munich, 1969.

WARNING (R.), « Ritus, Mythus und geistliches Spiel », *in* M. FUHRMANN (éd.), *Poetik und Hermeneutik V*, Munich, 1970.

Pour des bibliographies plus exhaustives, voir les ouvrages de Behrens et de Ruttkowski.

# Robert Scholes

# *Les modes de la fiction* *

Je pars du principe qu'il nous faut une poétique de la fiction littéraire à la fois pour sa valeur intrinsèque — pour autant qu'elle représente une branche intéressante de l'investigation par l'homme de ses propres modes d'existence — et pour sa valeur pédagogique. Il nous est impossible d' « enseigner » un nombre suffisant d'œuvres littéraires individuelles pour rendre nos étudiants aussi lettrés que nous voudrions qu'ils fussent. Nous devons donc les aider à apprendre la grammaire des formes littéraires en leur montrant certains aspects de cette grammaire qui serait un moyen abstrait d'organiser les textes individuels — mais un moyen qui a autant de validité historique que d'utilité conceptuelle. Et en acceptant cette idée d'une poétique de la fiction comme étant un outil indispensable pour les enseignants, nous nous préparons déjà à accepter une critique des genres ; car l'idée d'une poétique de la *fiction* est en elle-même un concept générique. En l'acceptant, nous accep-

* Extrait de « Towards a structuralist Poetics of Fiction », *Structuralism in Literature, an Introduction,* Yale University Press, 1974, p. 129-138. Repris de *Poétique,* 32 (1977) avec l'aimable autorisation de l'auteur et de l'éditeur. Le terme de « fiction » (anglais : *fiction*) couvre ici tout le champ de la littérature narrative d'imagination ; le mot anglais *romance,* qui désigne, par opposition à *novel,* le roman romanesque de type médiéval, baroque ou romantique, a été conservé faute d'équivalent français ; « roman » traduit ici toujours *novel (NdT).*

tons l'idée que la fiction ne fonctionne pas de la même façon que la poésie lyrique, et qu'en outre la littérature d'imagination ne fonctionne pas de la même façon que celle dont fonctionnent en fait certaines autres constructions verbales — qui ne sont ni d'imitation ni d'imagination. Le fait d'œuvrer à l'établissement d'une poétique distincte pour la fiction implique qu'elle est perçue en tant que genre distinct, avec ses propres caractéristiques, ses propres problèmes et ses propres potentialités. Et je partage ce point de vue. J'irai plus loin. Je dirai que cela tient à ce que les deux éléments essentiels qui nous occupent — le procès de lecture et le procès d'écriture — sont fondamentalement de nature générique.

Le procès d'écriture est générique en ce sens que tout écrivain conçoit sa tâche en fonction de sa propre culture littéraire. Aussi loin qu'il pousse son œuvre en direction de « travaux jamais encore entrepris en prose ou en vers », il doit, à l'instar de Milton lui-même, prendre ses distances par rapport aux travaux qui ont déjà été entrepris, s'en démarquer. Tout écrivain inscrit son travail dans une tradition donnée, et l'on peut mesurer parfaitement ses réalisations dans les termes mêmes de la tradition où ce travail s'inscrit. Le plumitif ou le tâcheron — qu'ils écrivent des westerns télévisés en 1960 ou des romans élisabéthains en 1590 — tiennent pour un fait qu'ils se situent dans telle ou telle tradition et débitent des œuvres (?) par application de schémas formulaires. L'artiste de génie, pour sa part, enrichit la tradition d'une contribution nouvelle parce qu'il prend conscience de possibilités qu'elle contenait mais qui étaient restées jusque-là inaperçues, ou parce qu'il découvre de nouvelles manières de combiner des traditions antérieures, ou de nouvelles manières d'adapter une tradition à la situation changeante du monde qui l'entoure. Un écrivain peut bien prétendre, comme Sidney, qu'il regarde dans son cœur et écrit, mais en réalité il ne verra son cœur, comme Sidney, qu'à travers les perspectives formelles dont il dispose. Dans *Astrophel et Stella,* la séquence du sonnet pétrarquien offrit à Sidney l'occasion de regarder dans son cœur et elle conféra sa couleur à l'image de Stella que le poète y trouva.

Si l'écriture s'inscrit dans les limites de la tradition générique, il en va de même pour la lecture. Il n'est pas jusqu'au petit enfant qui ne doive apprendre d'abord *ce qu'est en fait* une histoire, avant qu'il n'aime en écouter. Il doit, en réalité, élaborer une rudimentaire poétique de la fiction avant de savoir réagir, exactement comme il doit élaborer un sens de la grammaire avant de pouvoir parler. Dans le monde des adultes, des erreurs de lecture très graves, portant sur des textes littéraires, ainsi que la plupart des erreurs de jugement critique, sont imputables à une mauvaise compréhension des genres chez le lecteur ou le critique. Dans son livre *Validity in Interpretation* (New Haven, 1967, p. 74), E. D. Hirsch défend de manière convaincante l'idée que « la conception générique préliminaire qu'un interprète se fait d'un texte donné, est constitutive de tout ce qu'il comprend de ce texte par la suite, et qu'il en est ainsi tant que cette conception générique n'est pas modifiée ». Hirsch insiste sur le fait que le contexte dans lequel on lit le langage d'une œuvre littéraire est générique. Dès qu'on commence à lire, on formule telle ou telle hypothèse relative au genre, qu'on affine à mesure qu'on avance dans sa lecture et qu'on cerne de toujours plus près la nature unique de l'œuvre en question en repérant les affinités qu'elle entretient avec d'autres œuvres qui utilisent le langage de la même manière. La manière dont Hirsch perçoit le procès de lecture emporte ma conviction parce qu'elle est conforme à ce que je ressens moi-même de ce qui se passe quand je lis. Elle jette aussi une certaine lumière sur les problèmes de l'appréciation littéraire.

Une tendance fréquente chez les critiques consiste à établir de fausses normes pour l'appréciation des œuvres littéraires. Pour s'en tenir à quelques exemples dans le domaine de la critique de fiction littéraire, on peut citer Henry James et tous ceux qui, avec lui, attaquent le narrateur envahissant chez Fielding et Thackeray ; ou bien encore Wayne Booth attaquant l'ambiguïté de James Joyce ; ou Erich Auerbach attaquant les multiples reflets de la conscience dans un grand nombre d'œuvres de fiction modernes. On peut clairement déceler les raisons qui poussent à ce genre d'aberrations critiques si l'on y voit des

manquements à la logique des genres. Henry James hypostasia
le type de sa propre fiction en norme valable pour le roman pris
dans sa totalité, parce qu'il ne pouvait pas ou ne voulait pas voir
dans le terme roman (*novel*) une désignation lâche recouvrant
une grande diversité de types de fiction. De la même manière,
mais symétriquement, Wayne Booth fit sa propre norme du
roman rhétorique-didactique du XVIIIe siècle. Et Erich Auerbach fit la sienne du réalisme européen du XIXe siècle. La morale
de ces exemples est qu'un monisme inconscient dans le domaine
de l'appréciation littéraire représente un véritable danger, qui
risque de jeter le discrédit sur l'ensemble des efforts d'appréciation littéraire — ce qui correspond exactement au vœu de tout
un puissant groupe de critiques conduits par Northrop Frye.
Frye prétend que toute critique d'évaluation est sujette à
distorsion à cause des préjugés personnels et des modes
changeantes du goût littéraire, et qu'elle est par conséquent
tromperie ou naïveté. En partant des mêmes données et des
mêmes prémisses, je préférerais tirer une conclusion différente :
puisque même les meilleurs critiques de la fiction littéraire —
des hommes et des femmes doués d'une grande sensibilité,
possédant un large savoir et une intelligence aiguë — sont sujets
à l'erreur quand ils cherchent des principes d'appréciation qui
transcendent les barrières des genres, nous devrions consciemment essayer de nous mettre à l'abri de toute appréciation
moniste en accordant la plus extrême attention aux types
génériques et à leurs attributs respectifs. Une évaluation
authentique, qui compare des œuvres ayant des affinités réelles
dans leur forme et leur contenu, est du domaine du possible.

Comme le fait remarquer Todorov, la théorie traditionnelle
des genres a deux facettes, presque deux méthodes séparées.
Selon l'une de ces méthodes, on réfère des œuvres littéraires
spécifiques à certains types idéaux, dans lesquels résident
l'essence de chaque genre et ses potentialités. Selon l'autre
méthode, on construit, à partir de données fournies par
l'expérience, une idée de types généraux qui s'appuie sur des
liaisons historiques entre des œuvres spécifiques, et des traditions qu'il est possible d'identifier. L'une est essentiellement

déductive, l'autre inductive. Une théorie idéale des genres fictionnels devrait œuvrer à la réconciliation de ces deux méthodes qui sont aussi nécessaires l'une que l'autre et qui sont en fait complémentaires. Pour la clarté de mon exposé, j'appellerai ma théorie des types idéaux une théorie des *modes,* réservant le terme de *genre,* dans un sens plus étroit, pour l'étude d'œuvres individuelles considérées sous l'angle de leur rapport à des traditions spécifiques, historiquement identifiables.

Une théorie des modes devrait rechercher une vue d'ensemble, générale, de toute fiction littéraire, et fournir son cadre à une discussion des affinités et des incompatibilités littéraires. Elle devrait également s'ouvrir aux perspectives historiques, et indiquer, dans leurs grandes lignes, les liaisons qui existent entre les genres fictionnels spécifiques qui se sont instaurés eux-mêmes en tant que traditions littéraires. Avec une audace proche de l'hybris aristotélicienne, je fonderai ma théorie modale sur l'idée que toutes les œuvres de fiction sont réductibles à trois tons fondamentaux. Ces modes fictionnels de base sont à leur tour fondés sur les trois rapports qui peuvent exister entre un monde fictionnel, quel qu'il soit, et le monde de l'expérience. Un monde fictionnel peut être meilleur que le monde de l'expérience, pire que lui, ou son égal. Ces mondes fictionnels impliquent des attitudes que nous avons appris à nommer romantiques, satiriques et réalistes. La fiction peut nous livrer le monde déchu de la satire, le monde héroïque de la romance, ou le monde mimétique de l'histoire. On peut s'imaginer ces trois modes de base de la représentation fictionnelle comme étant les points moyens et terminaux d'une gamme de possibles. Soit :

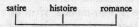

Si l'on conçoit que l'histoire représente un certain nombre de formes fictionnelles qui ont pour champ la présentation d'événements réels et de personnes réelles (journalisme, biographie, autobiographie, etc.), on peut situer sur cette gamme toutes les formes fondamentales de fiction qui ont précédé la naissance du roman. Mais où doit-on placer le roman lui-même ? Est-il plus satirique que l'histoire ou plus romantique ? Manifestement, il est les deux. Ainsi le roman se situe à la fois sur les deux moitiés de la gamme fictionnelle — un roman satirique prenant place entre l'histoire et la satire, un roman romantique entre l'histoire et la romance. Si l'on reporte sur ce schéma notre connaissance du développement réel des modes fictionnels, on peut introduire à ce point une utile subdivision de plus pour différencier les tons fictionnels. On peut diviser le roman satirique en forme picaresque et forme comique. Et on peut diviser le roman romantique en forme tragique et forme sentimentale. Cette gamme plus élaborée prend la forme suivante :

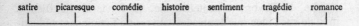

satire    picaresque    comédie    histoire    sentiment    tragédie    romance

Il convient sans doute de dire ici un mot à propos de l'établissement de ces subdivisions. En utilisant des termes traditionnels pour les divisions modales, je cours le risque de semer la confusion parce que ces termes sont utilisés avec une foule de sens différents. Je répète donc que des termes comme tragédie et comédie ne sont censés se rapporter ici qu'à la qualité du monde fictionnel et non pas à telle ou telle des formes d'histoire qu'on leur associe d'habitude. Du point de vue des modes, ce qui importe n'est pas de savoir si une fiction s'achève sur une mort ou un mariage, c'est de savoir ce que cette mort ou ce mariage nous dit sur le monde en question. Notre sentiment de la dignité ou de la bassesse des personnages, et de l'absurdité ou de la signifiance de leur monde, vient du rapport qui unit les protagonistes à leur environnement fictionnel. Le monde « réel » (où nous vivons mais que nous ne comprenons jamais) est moralement neutre. Les mondes fictionnels, au contraire, sont chargés de valeurs. Ils nous offrent un point de vue sur notre propre situation, de sorte que en essayant de les situer, nous sommes engagés dans une quête de notre propre situation. La romance nous propose des types de surhommes dans un monde idéal ; la satire nous présente des types de sous-hommes grotesques empêtrés dans le chaos ; la tragédie nous offre des êtres héroïques dans un monde qui donne un sens à leur héroïsme ; dans la fiction picaresque, les protagonistes doivent affronter un monde dont l'état chaotique va au-delà des limites de la tolérance humaine ordinaire, mais le monde picaresque et le monde tragique nous offrent tous deux des personnages et des situations qui sont plus proches du monde qui est le nôtre que ceux et celles de la romance et de la satire. Dans la fiction sentimentale, les personnages ont des vertus non héroïques auxquelles nous pouvons effectivement aspirer ; et dans la comédie, ils ont des faiblesses humaines que nous aussi nous pouvons bien essayer de corriger. La comédie est le plus léger et le plus brillant des mondes bas, elle regarde fréquemment en direction de la romance, et offre une variété limitée de justice poétique. Le sentiment est le plus sombre et le plus quotidien des mondes élevés. Il regarde en direction du chaos de la satire et il peut assister à la ruine de la vertu sans la grâce de la maturité tragique. Dans une certaine mesure, la comédie et le sentiment se chevauchent : en ce sens que la comédie évoque un monde sensiblement supérieur à ses protagonistes alors que le sentiment nous montre des personnages qui se situent légèrement au-dessus de leur monde.

Ce schéma des modes, aussi grossier qu'il soit, peut nous aider à percevoir certaines affinités et certaines incompatibilités dans la fiction littéraire. Par exemple, si l'on considère un siècle crucial pour la fiction anglaise, on peut situer de la façon suivante sur la gamme le nom de quelques-uns des plus grands écrivains :

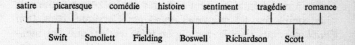

Les inquiétudes que provoque cette distribution donnent une mesure de ses insuffisances. On peut dissiper certaines d'entre elles en situant plus précisément des œuvres spécifiques. Le *Jonathan Wild* de Fielding, par exemple, se situe nettement du côté de la satire ; son *Joseph Andrews* se situe du côté picaresque de la comédie ; *Tom Jones* du côté historique de la comédie et *Amelia* nettement du côté du sentimental. Le *Pamela* et le *Clarissa* de Richardson ont de nettes affinités avec, respectivement, le sentiment et la tragédie. Mais qu'allons-nous faire alors du mélange de comédie et de sentiment chez Jane Austen, ou du mélange de sentiment et de satire chez Sterne ? On voit bien que cette gamme ne peut être réduite à un jeu de cases toutes faites, mais qu'elle doit être perçue comme un système de tons que les écrivains ont combinés de diverses façons.

Pour rendre plus aisé un examen des mélanges fictionnels, et pour d'autres raisons encore, je voudrais introduire une modification supplémentaire dans ce système modal : un changement concernant la forme que prend sa représentation graphique. Si l'on replie la gamme à son centre — l'histoire —, on produit une figure qui ressemblera à une part de gâteau :

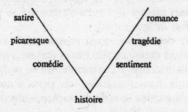

Grâce à ce schéma, on peut indiquer des mélanges fictionnels plus complexes, tel que celui opéré par Cervantes dans *Don Quichotte,* qui semble regrouper tous les attributs ici mentionnés ; mais on peut aussi suivre certains développements intéressants de l'histoire de la fiction. Avant l'apparition du roman en tant que type fictionnel, les formes de fiction romantique et satirique étaient toutes deux florissantes. On peut voir en fait dans l'apparition du roman le résultat d'un courant d'impulsions fictionnelles en provenance aussi bien de la romance que de la satire, et qui subirent l'attraction de l'histoire sous l'effet d'une conscience historique accrue à la fin de la Renaissance et pendant le siècle des Lumières *(the Age of Reason)*. Au cours de ce déplacement, les voyous et les putains du picaresque devinrent les libertins et les coquettes de la comédie. Les héros et les héroïnes de la romance et de la tragédie devinrent les hommes sensibles et les dames vertueuses qui peuplent la fiction sentimentale (Fielding et Richardson empruntèrent aux deux côtés de la gamme ; mais de façons différentes). On peut donc voir dans le réalisme, en tant que technique fictionnelle, un affaiblissement des attitudes romantiques et satiriques en réaction à des poussées scientifiques ou empiriques, qui prenaient également la forme de types narratifs journalistiques, biographiques et authentiquement historiques. Dans la fiction anglaise du XVIII<sup>e</sup> siècle, on peut relever des traces persistantes de tel ou tel mode fictionnel préromanesque. Chez Sterne, par exemple, le sentiment et la satire restent en suspension ; bien que mélangés, ils ne se confondent jamais en une solution homogène. En fait, cette persistance des modes narratifs primitifs se poursuit dans le roman anglais jusqu'au XIX<sup>e</sup> siècle et au-delà. D'un certain côté il ne s'établit jamais complètement en Angleterre un réalisme qui unisse ces deux grandes traditions fictionnelles. La différence entre Stendhal et Balzac et leurs prédécesseurs aussi bien en Angleterre qu'en France — et leurs contemporains anglais tout aussi bien — est que Stendhal et Balzac amènent ces deux circuits modaux à fusionner de manière beaucoup plus étroite que ne le font les autres auteurs. Il suffit de comparer le mélange d'éléments sentimentaux et picaresques dans *le Rouge et le Noir* de Stendhal à celui qu'opère Smollett dans *Roderick Random* par exemple, pour voir la différence qui existe entre un simple mélange des deux modes et une véritable fusion. Cela implique, je crois, un jugement de valeur, mais un véritable jugement de valeur doit prendre en compte bien plus de facteurs que ne peut en fournir une considération essentiellement axée sur les modes.

Parce que le roman en tant que forme fictionnelle a eu tendance à emprunter des deux côtés de la gamme, il peut être en fin de compte réintroduit dans le schéma, sous la forme d'une ligne imprécise en pointillé, coupant en deux notre part de gâteau :

Cela permet d'ajouter une ou deux nuances intéressantes. Si la fiction réaliste s'est établie pour la première fois (sous la forme que nous identifions aujourd'hui sous le nom de roman) comme étant le résultat d'un mouvement à partir de la satire et de la romance en direction de l'histoire, on peut interpréter le développement ultérieur du roman comme étant un mouvement d'écart par rapport au point initial de rencontre. S'il est vrai que le roman, à son début au XVIIIᵉ siècle, réunissait des impulsions comiques et sentimentales que nous pouvons appeler réalistes, au XIXᵉ siècle il s'est orienté vers une combinaison plus difficile et plus puissante d'impulsions picaresques et tragiques que nous avons pris l'habitude de nommer naturalistes. Les romans réalistes tendaient à être des histoires d'éducation, d'améliora- tion, d'intégration. Les romans naturalistes se sont voués à l'aliénation et à la destruction. Le roman a atteint sa forme classique au XIXᵉ siècle quand il s'est trouvé en équilibre entre les modes réaliste et naturaliste. On peut figurer le champ du roman classique en hachurant un segment du graphe :

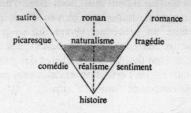

Stendhal, Balzac, Flaubert, Tolstoï, Tourgueniev et George
Eliot travaillent tout près du centre de ce champ. Dickens,
Thackeray, Meredith et Hardy s'orientent davantage vers les
bords et les coins.

Au xx$^e$ siècle, la fiction a tendu à continuer de s'écarter du
réalisme jusqu'à dépasser le naturalisme. Au cours de cette
évolution, le roman a eu du mal à maintenir l'unité interne de sa
forme sous la pression de possibles aussi radicalement divergents que la satire et la romance. Si ce schéma a une quelconque
validité historique, la combinaison naturelle relative à notre
époque semblerait être justement ces deux pôles divergents de
la fiction : la satire et la romance. On s'attendrait à trouver ici
une combinaison du grotesque, au niveau des personnages, et
de l'arabesque, au niveau de la construction. On verrait sans
surprise l'allégorie véhiculer la fiction, parce qu'elle a traditionnellement procuré des moyens de combiner la satire et la
romance. Dans ce type de fiction, le monde et ses occupants
apparaîtraient sous une forme fragmentée et déformée, et le
langage serait torturé dans un effort pour maintenir ensemble
les visions satirique et romantique de la vie. Est-ce bien là
vraiment la situation littéraire actuelle ?

Je crois que oui. Je crois que la description que je viens de
proposer représente l'état de la fiction telle que la pratiquent
nos meilleurs auteurs, de Joyce et Faulkner à Barth et Hawkes.
Ce schéma modal peut donc nous aider à voir où nous en
sommes et à expliquer comment nous en sommes arrivés là. Ce
faisant, il devrait contribuer à nous rendre plus compréhensifs
envers toutes les variétés de fiction, modernes et anciennes, et

plus ouverts à toutes. Il peut aussi nous aider d'un point de vue pédagogique en nous donnant le moyen d'enseigner l'histoire littéraire comme un processus vivant qui se poursuit, et le moyen de mettre les connaissances historiques au service de l'interprétation. Une théorie des modes et des genres est en fait le carrefour naturel de l'érudition et de la critique, puisqu'elle requiert impérieusement l'une et l'autre.

*Traduit de l'anglais*
*par Jean-Pierre Richard*

# Gérard Genette

# *Introduction à l'architexte* *

## I

On connaît cette page du *Portrait de l'artiste* où Stephen expose devant l'ami Lynch « sa » théorie des trois formes esthétiques fondamentales :

> la forme lyrique, où l'artiste présente son image en rapport immédiat avec lui-même ; la forme épique, où il présente son image en rapport intermédiaire entre lui-même et les autres ; la forme dramatique, où il présente son image en rapport immédiat avec les autres [1].

Cette tripartition en elle-même n'est pas des plus originales, et Joyce ne l'ignore nullement, qui ajoutait ironiquement dans la première version de cet épisode que Stephen s'exprimait « avec l'air ingénu de celui qui découvre quelque chose de nouveau » alors que « pour l'essentiel son esthétique était du saint Thomas appliqué [2] ».

Je ne sais s'il est arrivé à saint Thomas de proposer un tel partage — ni même si c'est bien ce que Joyce suggère en

---

* Parus aux Éd. du Seuil dans la collection « Poétique » en 1979.

1. *Dedalus,* 1913 ; trad. fr., Gallimard, p. 213.
2. *Stephen le héros,* 1904 ; trad. fr., Gallimard, p. 76.

l'évoquant ici —, mais j'observe çà et là qu'on l'attribue
volontiers, depuis quelque temps, à Aristote, voire à Platon.
Dans son étude sur l'histoire de la division des genres[3], Irene
Behrens en relevait un exemple sous la plume d'Ernest
Bovet : « Aristote ayant distingué les genres lyrique, épique
et dramatique...[4] », et réfutait immédiatement cette attribution, qu'elle déclarait déjà fort répandue ! Mais, comme nous
allons le voir, cette mise au point n'a pas empêché les
récidives ; sans doute, entre autres raisons, parce que l'erreur,
ou plutôt l'illusion rétrospective dont il s'agit, a des racines
profondes dans notre conscience, ou inconscience, littéraire.
Au reste, la mise au point elle-même n'était pas affranchie de
toute adhérence à la tradition qu'elle dénonçait, puisque Irene
Behrens se demande fort sérieusement comment il se fait que
la tripartition traditionnelle ne soit pas chez Aristote, et en
trouve une raison possible dans le fait que le lyrisme grec
était trop lié à la musique pour relever de la poétique. Mais la
tragédie l'était tout autant, et l'absence du lyrique dans la
*Poétique* d'Aristote tient à une raison beaucoup plus fondamentale, et telle qu'une fois perçue, la question même perd
toute espèce de pertinence.

Mais non apparemment toute raison d'être : on ne renonce
pas facilement à projeter sur le texte fondateur de la poétique
classique une articulation fondamentale de la poétique
« moderne » — en fait, comme souvent et comme on le verra,
plutôt *romantique* ; et non peut-être sans conséquences théoriques fâcheuses car, en usurpant cette lointaine filiation, la
théorie relativement récente des « trois genres fondamentaux » ne s'attribue pas seulement une ancienneté, et donc
une apparence ou présomption d'éternité, et par là d'évidence : elle détourne au profit de ses trois instances génériques un fondement naturel qu'Aristote, et avant lui Platon,
avait, plus légitimement peut-être, établi pour tout autre
chose. C'est ce nœud, pendant quelques siècles au cœur de la

3. *Die Lehre von der Einteilung der Dichtkunst,* Halle, 1940.
4. *Lyrisme, Épopée, Drame,* Paris, Colin, 1911, p. 12.

poétique occidentale, de confusions, de quiproquos et de substitutions inaperçues, que je voudrais tenter de dénouer un peu.

Mais d'abord, non pour le cuistre plaisir de censurer quelques excellents esprits, mais pour illustrer par leur exemple la diffusion de cette *lectio facilior*, en voici trois ou quatre autres occurrences plus récentes ; chez Austin Warren :

> Nos classiques de la théorie des genres sont Aristote et Horace. C'est à eux que nous devons l'idée que la tragédie et l'épopée sont les deux catégories caractéristiques — et d'ailleurs les plus importantes. Mais Aristote, à tout le moins, perçoit d'autres distinctions plus essentielles entre la pièce de théâtre, l'épopée, le poème lyrique. [...] Platon et Aristote distinguaient déjà les trois genres fondamentaux selon leur « mode d'imitation » (ou « représentation ») : la poésie lyrique est la *persona* même du poète ; dans la poésie épique (ou le roman) le poète parle en son nom propre, en tant que narrateur, mais il fait également parler ses personnages au style direct (récit mixte) ; au théâtre, le poète disparaît derrière la distribution de sa pièce. [...] La *Poétique* d'Aristote qui, pour l'essentiel, fait de l'épopée, du théâtre et de la poésie lyrique (« mélique ») les variétés fondamentales de poésie[5] ;

Northrop Frye, plus vague ou plus prudent :

> Nous disposons de trois termes de distinction des genres, légués par *les auteurs grecs* : le drame, l'épopée, l'œuvre lyrique[6] ;

5. Chapitre « Les genres littéraires », *in* R. Wellek et A. Warren, *La Théorie littéraire*, 1948 ; trad. fr., Éd. du Seuil, p. 320 et 327.
6. *Anatomie de la critique,* 1957 ; trad. fr., Gallimard, p. 299.

plus circonspect encore, ou plus évasif, Philippe Lejeune suppose que le point de départ de cette théorie est

> la division trinitaire des *anciens* entre l'épique, le dramatique et le lyrique [7] ;

mais non Robert Scholes, qui précise que le système de Frye

> commence par l'acceptation de la division fondamentale *due à Aristote* entre les formes lyrique, épique et dramatique [8] ;

et moins encore Hélène Cixous, qui, commentant le discours de Dedalus, en localise ainsi la source :

> tripartition assez classique, empruntée à la *Poétique* d'Aristote (1447 *a, b,* 1456 à 1462, *a* et *b*) [9] ;

quant à Tzvetan Todorov, il fait remonter la triade à Platon et sa systématisation définitive à Diomède :

> De Platon à Emil Staiger, en passant par Goethe et Jakobson, on a voulu voir dans ces trois catégories les formes fondamentales ou même « naturelles » de la littérature [...]. Diomède, au $IV^e$ siècle, systématisant Platon, propose les définitions suivantes : lyrique = les œuvres où seul parle l'auteur ; dramatique = les œuvres où seuls parlent les personnages ; épique = les œuvres où auteur et personnages ont également droit à la parole [10].

Sans formuler aussi précisément l'attribution qui nous occupe, Mikhaïl Bakhtine avançait en 1938 que la théorie des genres

---

7. *Le Pacte autobiographique,* Éd. du Seuil, 1975, p. 330.
8. *Structuralism in Literature,* Yale, 1974, p. 124. Dans toutes ces citations, c'est moi qui souligne les attributions.
9. *L'Exil de James Joyce,* Grasset, 1968, p. 707.
10. O. Ducrot et T. Todorov, *Dictionnaire encyclopédique des sciences du langage,* Éd. du Seuil, 1972, p. 198.

n'a pu jusqu'à nos jours ajouter quoi que ce soit de substantiel à ce qui avait déjà été fait par Aristote. Sa poétique demeure le fondement immuable de la théorie des genres, quoique parfois ce fondement soit si profondément enfoui qu'on ne le distingue plus [11].

De toute évidence, Bakhtine ne s'avise pas du silence massif de la *Poétique* sur les genres lyriques, et cette inadvertance illustre paradoxalement l'oubli du fondement qu'il croit dénoncer ; car l'essentiel en est, nous le verrons, l'illusion rétrospective par laquelle les poétiques modernes (préromantiques, romantiques et postromantiques) projettent aveuglément sur Aristote, ou Platon, leurs propres contributions, et « enfouissent » ainsi leur propre différence — leur propre modernité.

Cette attribution aujourd'hui si répandue n'est pas tout à fait une invention du xxᵉ siècle. On la trouve en tout cas déjà au xviiiᵉ chez l'abbé Batteux, dans un chapitre additionnel de son essai *les Beaux-Arts réduits à un même principe*. Le titre de ce chapitre est presque inespéré : « Que cette doctrine est conforme à celle d'Aristote [12]. » Il s'agit à vrai dire de la doctrine générale de Batteux sur l' « imitation de la belle nature » comme « principe » unique des beaux-arts, poésie comprise. Mais ce chapitre est essentiellement consacré à démontrer qu'Aristote distinguait dans l'art poétique trois genres ou, dit Batteux d'un terme emprunté à Horace, trois *couleurs* fondamentales.

---

11. *Esthétique et Théorie du roman*, trad. fr., Gallimard, p. 445.
12. Ce chapitre apparaît en 1764 dans la reprise des *Beaux-Arts réduits...* (1ʳᵉ éd., 1746) au 1ᵉʳ vol. des *Principes de littérature* ; encore n'est-ce alors que la fin d'un chapitre ajouté sur « La poésie des vers ». Cette fin est détachée en chapitre autonome dans l'édition posthume de 1824, avec son titre emprunté au texte même de l'addition de 1764.

Ces trois couleurs sont celle du dithyrambe ou de la
poésie lyrique, celle de l'épopée ou de la poésie de récit,
enfin celle du drame, ou de la tragédie et de la comédie.

L'abbé cite lui-même le passage de la *Poétique* sur lequel il se
fonde, et la citation mérite d'être reprise, et dans la traduction
même de Batteux :

Les mots composés de plusieurs mots conviennent plus
spécialement aux dithyrambes, les mots inusités aux
épopées, et les tropes aux drames.

C'est la fin du chapitre XXII, consacré aux questions de la *lexis* —
nous dirions du style. Comme on le voit, il s'agit ici du rapport
de convenance entre genres et procédés stylistiques — encore
que Batteux tire quelque peu dans ce sens les termes d'Aristote
en traduisant par « épopée » *ta héroika* (vers héroïques) et par
« drame » *ta iambeia* (vers iambiques, et sans doute plus
particulièrement les trimètres du dialogue tragique ou comique). Négligeons cette légère accentuation : Aristote semble
bien répartir ici trois traits de style entre trois genres ou formes :
le dithyrambe, l'épopée, le dialogue de théâtre. Reste à
apprécier l'équivalence établie par Batteux entre dithyrambe et
poésie lyrique. Le dithyrambe est une forme aujourd'hui mal
connue, dont il ne nous reste presque aucun exemple, mais que
l'on décrit généralement comme un « chant choral en l'honneur
de Dionysos », et que l'on range donc volontiers parmi les
« formes lyriques »[13], sans aller toutefois jusqu'à dire comme
Batteux que « rien ne répond mieux à notre poésie lyrique », ce
qui fait bon marché, par exemple, des odes de Pindare ou de
Sapho. Mais de cette forme, il se trouve qu'Aristote ne dit rien
d'autre dans la *Poétique,* si ce n'est [14] pour la désigner comme
un ancêtre de la tragédie. Dans les *Problèmes homériques* [15], il
précise qu'il s'agit d'une forme originellement narrative deve-

13. J. de Romilly, *La Tragédie grecque,* PUF, 1970, p. 12.
14. 1449 *a.*
15. XIX, 918 *b*-919.

nue par la suite « mimétique », c'est-à-dire dramatique. Quant à Platon, il cite le dithyrambe comme le type par excellence du poème… purement narratif[16].

Rien dans tout cela, donc — bien au contraire —, qui autorise à présenter le dithyrambe comme illustrant *chez Aristote* (*ou Platon*) le « genre » lyrique ; or ce passage est le seul de toute la *Poétique* que Batteux ait pu invoquer pour donner la caution d'Aristote à l'illustre triade. La distorsion est flagrante, et le point où elle s'exerce est significatif. Pour mieux apprécier cette signification, il est nécessaire de revenir une fois de plus à la source, c'est-à-dire au système des genres proposé par Platon et exploité par Aristote. Je dis « système des genres » par une concession provisoire à la vulgate, mais on verra bientôt que le terme est impropre, et qu'il s'agit de tout autre chose.

## II

Au IIIe livre de *la République*, Platon motive sa décision bien connue d'expulser les poètes de la Cité par deux séries de considérations. La première porte sur le contenu (*logos*) des œuvres, qui doit être (et trop souvent n'est pas) essentiellement moralisant : le poète ne doit pas représenter des défauts, surtout chez les dieux et les héros, et encore moins les encourager en représentant la vertu malheureuse ou le vice triomphant. La

16. *La République,* 394 c. « Il semble qu'au début du Ve siècle, le chant lyrique en l'honneur de Dionysos ait pu traiter de sujets divins ou héroïques plus ou moins associés au dieu ; ainsi d'après les fragments conservés de Pindare, le dithyrambe apparaît comme un morceau de narration héroïque, chanté par un chœur, sans dialogue, et s'ouvrant sur une invocation à Dionysos, parfois même à d'autres divinités. C'est à ce type de composition que Platon doit faire allusion plutôt qu'au dithyrambe du IVe siècle, profondément modifié par le mélange de modes musicaux et l'introduction des solos lyriques » (R. Dupont-Roc, « Mimesis et énonciation », *Écriture et Théorie poétiques*, Presses de l'École normale supérieure, 1976). Cf. A. W. Pickard-Cambridge, *Dithyramb, Tragedy and Comedy,* Oxford, 1927.

seconde porte sur la « forme » (*lexis*) [17], c'est-à-dire en fait sur le *mode de représentation*. Tout poème est récit (*diègèsis*) d'événements passés, présents ou à venir ; ce récit au sens large peut prendre trois formes : soit purement narrative (*haplè diègèsis*), soit mimétique (*dia mimèséôs*), c'est-à-dire, comme au théâtre, par voie de dialogues entre les personnages, soit « mixte », c'est-à-dire en fait alternée, tantôt récit tantôt dialogue, comme chez Homère. Je ne reviens pas sur le détail de la démonstration [18], ni sur la dévalorisation bien connue des modes mimétique et mixte qui est l'un des chefs de condamnation des poètes, l'autre étant naturellement l'immoralité de leurs sujets. Je rappelle seulement que les trois modes de *lexis* distingués par Platon correspondent, sur le plan de ce qu'on appellera plus tard des « genres » poétiques, à la tragédie et à la comédie pour le mimétique pur, à l'épopée pour le mixte, et « surtout » (*malista pou*) au dithyrambe (sans autre illustration) pour le narratif pur. A cela se réduit tout le « système » : de toute évidence, Platon n'envisage ici que les formes de la poésie « narrative » au sens large — la tradition ultérieure, après Aristote, dira plus volontiers, en intervertissant les termes, « mimétique » ou *représentative* : celle qui « rapporte » des événements, réels ou fictifs. Il laisse délibérément hors du champ toute poésie non représentative, et donc par excellence ce que nous appelons poésie lyrique, et a fortiori toute autre forme de littérature (y compris d'ailleurs toute éventuelle « représentation » en prose, comme notre roman ou notre théâtre moderne). Exclusion non pas seulement de fait, mais bien de principe, puisque, je le rappelle, la représentation d'événements est ici la définition même de la poésie : il n'y a de poème que représentatif. Platon

17. Bien entendu, les termes *logos* et *lexis* n'ont pas *a priori* cette valeur antithétique : hors contexte, les traductions les plus fidèles seraient « discours » et « diction ». C'est Platon lui-même (392 *c*) qui construit l'opposition, et la glose en *ha lekteon* (« ce qu'il faut dire ») et *hôs lekteon* (« comment il faut le dire »). Par la suite, on le sait, la rhétorique restreindra *lexis* au sens de « style ».

18. Voir *Figures II,* Éd. du Seuil 1969, p. 50-56, et *Figures III,* Éd. du Seuil, 1972, p. 184-190.

n'ignorait évidemment pas la poésie lyrique, mais il la forclôt ici par une définition délibérément restrictive. Restriction peut-être *ad hoc,* puisqu'elle facilite la mise au ban des poètes (excepté les lyriques ?), mais restriction qui va devenir, *via* Aristote et pour des siècles, l'article fondamental de la poétique classique.

En effet, la première page de la *Poétique* définit clairement la poésie comme l'art de l'imitation en vers (plus précisément : par le rythme, le langage et la mélodie), excluant explicitement l'imitation en prose (mimes de Sophron, dialogues socratiques) et le vers non imitatif — sans même mentionner la prose non imitative, telle que l'éloquence, à quoi est consacrée de son côté la *Rhétorique*. L'illustration choisie pour le vers non imitatif est l'œuvre d'Empédocle, et plus généralement celles « qui exposent au moyen de mètres... (par exemple) un sujet de médecine ou de physique », autrement dit la poésie didactique, qu'Aristote rejette envers et contre ce qu'il désigne comme une opinion commune (« on a coutume de les appeler poètes »). Pour lui, on le sait, et bien qu'il use du même mètre qu'Homère, « il conviendrait d'appeler Empédocle naturaliste plutôt que poète ». Quant aux poèmes que nous qualifierions de lyriques (ceux de Sapho ou de Pindare par exemple), il ne les mentionne ni ici ni ailleurs dans la *Poétique :* ils sont manifestement hors de son champ comme ils l'étaient pour Platon. Les subdivisions ultérieures ne s'exerceront donc que dans le domaine rigoureusement circonscrit de la poésie représentative.

Leur principe est une croisée de catégories directement liées au fait même de la représentation : l'objet imité (question *quoi ?*) et la façon d'imiter (question *comment ?*). L'objet imité — nouvelle restriction — consiste uniquement en actions humaines, ou plus exactement en êtres humains agissants, qui peuvent être représentés soit supérieurs (*beltionas*), soit égaux (*kat'hèmas*), soit inférieurs (*kheironas*) à « nous », c'est-à-dire

4

sans doute au commun des mortels[19]. La seconde classe ne
trouvera guère d'investissement dans le système, et le critère de
contenu se réduira donc à l'opposition héros supérieurs *vs* héros
inférieurs. Quant à la façon d'imiter, elle consiste soit à raconter
(c'est la *haplè diègèsis* platonicienne), soit à « présenter les
personnages en acte », c'est-à-dire à les mettre en scène
agissants et parlants : c'est la *mimèsis* platonicienne, autrement
dit la représentation dramatique. Ici encore, on le voit, une
classe intermédiaire disparaît, du moins en tant que principe
taxinomique : celle du mixte platonicien. A cette disparition
près, ce qu'Aristote appelle « façon d'imiter » équivaut stricte-
ment à ce que Platon nommait *lexis* : nous n'en sommes pas
encore à un système des genres ; le terme le plus juste pour
désigner cette catégorie est sans doute bien celui, employé par la
traduction Hardy, de *mode* : il ne s'agit pas à proprement parler
de « forme » au sens traditionnel, comme dans l'opposition
entre vers et prose, ou entre les différents types de vers, il s'agit
de *situations d'énonciation* : pour reprendre les termes mêmes
de Platon, dans le mode narratif, le poète parle en son propre
nom, dans le mode dramatique, ce sont les personnages eux-
mêmes, ou plus exactement le poète déguisé en autant de
personnages.

Aristote distingue en principe, dans le premier chapitre, trois
types de différenciation entre les arts d'imitation : par l'objet

19. La traduction et donc l'interprétation de ces termes engagent
évidemment toute l'interprétation de ce versant de la *Poétique*. Leur
sens courant est d'ordre nettement moral, et le contexte de leur
première occurrence dans ce chapitre l'est également, qui distingue les
caractères par le vice (*kakia*) et la vertu (*arètè*) ; la tradition classique
ultérieure tend plutôt à une interprétation de type social, la tragédie (et
l'épopée) représentant des personnages de haute condition, la comédie
de condition vulgaire, et il est bien vrai que la théorie aristotélicienne du
héros tragique, que nous allons retrouver, s'accorde mal avec une
définition purement morale de son excellence. « Supérieur »/« inférieur » est un compromis prudent, trop prudent peut-être, mais on
hésite à faire ranger par Aristote un Œdipe ou une Médée parmi les
héros « meilleurs » que la moyenne. La traduction Hardy, quant à elle,
s'installe d'emblée dans l'incohérence en essayant les deux traductions à
quinze lignes de distance (Les Belles Lettres, p. 31).

imité et le mode d'imitation (ce sont les deux en cause ici), mais aussi par les « moyens » (trad. Hardy ; littéralement, c'est la question « en quoi ? », au sens où l'on s'exprime « en gestes » ou « en paroles », « en grec » ou « en français », « en prose » ou « en vers », « en hexamètres » ou « en trimètres », etc.) ; c'est ce dernier niveau qui répond le mieux à ce que notre tradition nomme la *forme*. Mais il ne recevra aucun investissement véritable dans la *Poétique*, dont le système générique ne fait à peu près acception que d'objets et de modes.

Les deux catégories d'objets recoupées par les deux catégories de mode vont donc déterminer une grille de quatre classes d'imitation, à quoi correspondent proprement ce que la tradition classique appellera des genres. Le poète peut raconter ou mettre en scène les actions de personnages supérieurs, raconter ou mettre en scène les actions de personnages inférieurs[20]. Le dramatique supérieur définit la tragédie, le narratif supérieur l'épopée ; au dramatique inférieur correspond la comédie, au narratif inférieur un genre plus mal déterminé, qu'Aristote ne

20. De toute évidence, Aristote ne fait aucune différence entre le niveau de dignité (ou de moralité) des personnages et celui des actions, les considérant sans doute comme indissociablement liés — et ne traitant en fait les personnages que comme des supports d'action. Corneille semble avoir été le premier à rompre cette liaison, en inventant en 1650 pour *Don Sanche d'Aragon* (action non tragique en milieu noble) le sous-genre mixte de la « comédie héroïque » (qu'illustreront encore *Pulchérie* en 1671 et *Tite et Bérénice* en 1672), et en justifiant cette dissociation dans son *Discours du poème dramatique* (1660) par une critique explicite d'Aristote : « La poésie dramatique, selon lui, est une imitation des actions, et il s'arrête ici (au début de la *Poétique*) à la condition des personnes, sans dire quelles doivent être ces actions. Quoi qu'il en soit, cette définition avait du rapport à l'usage de son temps, où l'on ne faisait parler dans la comédie que des personnes d'une condition très médiocre ; mais elle n'a pas une entière justesse pour la nôtre, où les rois même y peuvent entrer, quand leurs actions ne sont point au-dessus d'elle. Lorsqu'on met sur la scène une simple intrigue d'amour entre des rois, et qu'ils ne courent aucun péril, ni de leur vie ni de leur État, je ne crois pas que, bien que les personnes soient illustres, l'action le soit assez pour s'élever jusqu'à la tragédie » (*Œuvres*, Marty-Laveaux (éd.), t. I, p. 23-24). La dissociation inverse (action tragique en milieu vulgaire) donnera, au siècle suivant, le drame bourgeois.

nomme pas, et qu'il illustre tantôt par des « parodies » (*parô-diai*), aujourd'hui disparues, d'Hégémon et de Nicocharès, tantôt par un *Margitès* attribué à Homère, dont il déclare expressément qu'il est aux comédies ce que l'*Iliade* et l'*Odyssée* sont aux tragédies [21]. Cette case est donc évidemment celle de la narration comique, qui semble avoir été à l'origine essentiellement illustrée, quoi qu'il faille entendre par là, par des parodies d'épopées, dont l'héroï-comique *Batrachomyomachie* pourrait nous donner quelque idée, juste ou non. Le système aristotélicien des genres peut donc se figurer ainsi :

| MODE OBJET | DRAMATIQUE | NARRATIF |
|---|---|---|
| SUPÉRIEUR | tragédie | épopée |
| INFÉRIEUR | comédie | parodie |

Comme on le sait du reste, la suite de l'ouvrage opérera sur cette croisée une série d'abandons ou de dévalorisations meurtrières : du narratif inférieur, il ne sera plus question, de la comédie guère plus ; les deux genres nobles resteront seuls en un face-à-face inégal, puisque, une fois posé ce cadre taxinomique et à quelques pages près, la *Poétique*, ou du moins ce qui nous en reste, se réduit pour l'essentiel à une théorie de la tragédie. Cet aboutissement ne nous concerne pas pour lui-même. Observons du moins que ce triomphe de la tragédie n'est pas seulement le fait de l'inachèvement ou de la mutilation. Il résulte de valorisations explicites et motivées : supériorité, bien sûr, du mode dramatique sur le narratif (c'est le renversement bien connu du parti pris platonicien), proclamée à propos d'Homère dont l'un des mérites est d'intervenir le moins possible dans son poème en tant que narrateur, et de se faire

---

21. 1447 *a*, 48 *b*, 49 *a*.

aussi « imitateur » (c'est-à-dire dramaturge) que peut l'être un poète épique en laissant le plus souvent possible la parole à ses personnages [22]— éloge qui montre au passage qu'Aristote, bien qu'il ait supprimé la catégorie, n'ignore pas plus que Platon le caractère « mixte » de la narration homérique, et je reviendrai sur les conséquences de ce fait ; supériorité formelle de la variété de mètres, et de la présence de la musique et du spectacle ; supériorité intellectuelle de la « vive clarté, et à la lecture et à la représentation » ; supériorité esthétique de la densité et de l'unité [23], mais aussi, et de façon plus surprenante, supériorité thématique de l'objet tragique.

Plus surprenante, parce que, en principe, nous l'avons vu, les premières pages attribuent aux deux genres des objets non seulement égaux, mais identiques : à savoir la représentation de héros supérieurs. Cette égalité est encore — une dernière fois — proclamée en 1449 *b* :

> l'épopée *va de pair* (*èkoloutèsen*), avec la tragédie en tant qu'elle est une imitation, à l'aide du mètre, d'hommes de haute valeur morale ;

suit le rappel des différences de forme (mètre uniforme de l'épopée *vs* mètre varié de la tragédie), de la différence de mode et de la différence d' « étendue » (action de la tragédie

22. 1460 *a ;* en 1448 *b,* Aristote va jusqu'à nommer les épopées homériques « imitations dramatiques » (*mimèseis dramatikas*), et emploie à propos du *Margitès* l'expression « représenter dramatiquement le ridicule » (*to géloion dramatopoièsas*). Ces qualifications très fortes ne l'empêchent cependant pas de maintenir ces œuvres dans la catégorie générale du narratif (*mimeisthai apangellonta,* 1448 *a*). Et n'oublions pas qu'il ne les applique pas à l'épopée en général, mais à Homère seul (*monos,* en 1448 *b* comme en 1460 *a*). Pour une analyse plus poussée des motifs de cet éloge d'Homère et, plus généralement, de la différence entre les définitions platonicienne et aristotélicienne de la mimésis homérique, voir J. Lallot, « La *mimèsis* selon Aristote et l'excellence d'Homère », in *Écriture et Théorie poétiques, op. cit.* Du point de vue qui nous intéresse ici, ces différences peuvent être neutralisées sans inconvénient.

23. 1462 *a,b.*

enfermée dans la fameuse unité de temps d'une révolution du soleil) ; enfin, démenti subreptice à l'égalité d'objet officiellement accordée :

> Quant aux éléments constitutifs, certains sont les mêmes, les autres sont propres à la tragédie. Aussi celui qui sait distinguer une bonne et une mauvaise tragédie sait faire aussi cette distinction pour l'épopée ; car les éléments que renferme l'épopée sont dans la tragédie mais ceux de la tragédie ne sont pas dans l'épopée.

La valorisation, au sens propre, saute aux yeux, puisque ce texte attribue, sinon au poète tragique, du moins au connaisseur en tragédies, une supériorité automatique en vertu du principe *qui peut le plus peut le moins*. Le motif de cette supériorité peut sembler encore obscur ou abstrait : la tragédie comporterait, sans qu'aucune réciproque fût concédée, des « éléments constitutifs » (*mérè*) que ne comporte pas l'épopée. Qu'est-ce à dire ?

Littéralement, sans doute, que, parmi les six « éléments » de la tragédie (fable, caractères, élocution, pensée, spectacle et chant), les deux derniers lui sont spécifiques. Mais au-delà de ces considérations techniques, le parallèle laisse déjà pressentir que l'initiale définition commune à l'objet des deux genres ne suffira pas tout à fait — c'est le moins qu'on puisse dire — à définir l'objet de la tragédie : présomption confirmée, quelques lignes plus loin, par cette seconde définition qui a fait autorité pendant des siècles :

> la tragédie est l'imitation d'une action de caractère élevé et complète, d'une certaine étendue, dans un langage relevé d'assaisonnements d'une espèce particulière suivant les diverses parties, imitation qui est faite par des personnages en action et non au moyen d'un récit, et qui, suscitant pitié et crainte, opère la purgation propre à pareilles émotions.

Comme chacun le sait, la théorie de la *catharsis* tragique énoncée par la clause finale de cette définition n'est pas des plus claires et son obscurité a entretenu des flots d'exégèse peut-être oiseuse. Pour nous en tout cas, l'important n'est pas dans cet effet, psychologique ou moral, des deux émotions tragiques : c'est la présence même de ces émotions dans la définition du genre, et l'ensemble des traits spécifiques désignés par Aristote comme nécessaires à leur production, et donc à l'existence d'une tragédie conforme à cette définition : enchaînement surprenant (*para tèn doxan*) et merveilleux (*thaumaston*) des faits, comme lorsque le hasard semble agir « à dessein » ; « péripétie » ou « revirement » de l'action, comme lorsqu'une conduite aboutit à l'inverse du résultat escompté ; « reconnaissance » de personnages dont l'identité avait été jusque-là ignorée ou masquée ; malheur subi par un héros ni tout à fait innocent ni tout à fait coupable, à cause non d'un véritable crime, mais d'une erreur funeste (*hamartia*) ; action violente commise (ou mieux, sur le point d'être commise, mais évitée in extremis par la reconnaissance) entre êtres chers, de préférence unis par les liens du sang, mais qui ignorent la nature de leurs liens [24]... Tous ces critères, qui désignent les actions d'*Œdipe roi* ou de *Cresphonte* comme les plus parfaites actions tragiques et Euripide comme l'auteur le plus tragique, éminemment tragique, ou tragique par excellence (*tragikotatos*) [25], constituent bien une nouvelle définition de la tragédie, dont on ne peut tout à fait disposer en la disant simplement moins extensive et plus compréhensive que la première, car certaines incompatibilités sont un peu plus difficiles à réduire : ainsi, l'idée d'un héros tragique « ni tout à fait bon ni tout à fait mauvais » (selon la glose fidèle de Racine dans la préface d'*Andromaque*), mais essentiellement *faillible* (« bien loin d'être parfait, renchérit, toujours fidèlement à mon sens, la préface de *Britannicus,* il faut toujours qu'il ait quelque

---

24. Chap. IX à XIV ; un peu plus loin, il est vrai (1459 *b*), Aristote rétablira quelque peu l'équilibre en accordant à l'épopée les mêmes « parties » (éléments constitutifs) qu'à la tragédie, « sauf le chant et le spectacle », y compris « péripétie, reconnaissance et coups de malheur ». Mais le motif fondamental du tragique — terreur et pitié — lui reste étranger.

25. 1452 *a*, 53 *a*, 53 *b*, 54 *a*.

imperfection »), ou insuffisamment clairvoyant, ou, comme Œdipe et ce qui aboutit au même résultat, *trop clairvoyant*[26] — c'est le fameux et génial « œil en trop » de Hölderlin — pour éviter les pièges du destin, s'accorde mal avec le statut initial d'une humanité supérieure à la moyenne, à moins de priver cette supériorité de toute dimension morale ou intellectuelle, ce qui est peu compatible, on l'a vu, avec le sens courant de l'adjectif *beltiôn*; ainsi encore, lorsque Aristote exige[27] que l'action soit capable de susciter crainte et pitié en l'absence de toute représentation scénique et au simple énoncé des faits, il semble bien admettre par là même que le sujet tragique peut être dissocié du mode dramatique et confié à la simple narration sans pour autant devenir sujet épique.

Il y aurait donc du tragique hors tragédie, comme il y a sans doute des tragédies sans tragique, ou en tout cas moins tragiques que d'autres. Robortello, dans son Commentaire de 1548, estime que les conditions posées dans la *Poétique* ne se trouvent réalisées que dans le seul *Œdipe roi*, et résout cette difficulté doctrinale en soutenant que certaines de ces conditions ne sont pas nécessaires à la qualité d'une tragédie, mais seulement à sa perfection[28]. Cette distinction jésuitique aurait peut-être satisfait Aristote, car elle maintient l'unité apparente du concept de

26. En fait, parce que, comme déjà Laios, *trop averti* (par l'oracle). Et donc, de toute manière, *trop prévoyant* et *trop prudent* : c'est le thème capital, ici tragique, parce qu'il y va de la mort, ailleurs (*l'École des femmes, le Barbier de Séville*) comique, parce qu'il y va que de la déconvenue d'un barbon, de la précaution « inutile » — et même *nuisible*, ou, pour mieux dire en contexte tragique, *funeste*, ou *fatale*.
27. 1453 *b*.
28. Rapporté dans son *Discours de la tragédie* (1660, éd. cit., p. 59) par Corneille, qui applique plus loin (p. 66) cette distinction à deux exigences aristotéliciennes : la semi-innocence du héros et l'existence de liens intimes entre les antagonistes. « Quand je dis, ajoute-t-il, que ces deux conditions ne sont que pour les tragédies parfaites, je n'entends pas dire que celles où elles ne se rencontrent point soient imparfaites : ce serait les rendre d'une nécessité absolue, et me contredire moi-même. Mais par ce mot de tragédies parfaites j'entends celles du genre le plus sublime et le plus touchant, en sorte que celles qui manquent de l'une ou de l'autre de ces deux conditions, ou de toutes les deux, pourvu qu'elles

tragédie à travers la géométrie variable de ses définitions. En fait, bien sûr, il y a ici deux réalités distinctes : l'une à la fois modale et thématique, que posent les premières pages de la *Poétique,* et qui est le drame noble, ou sérieux, en opposition au récit noble (l'épopée) et au drame bas, ou gai (la comédie) ; cette réalité générique, qui englobe aussi bien *les Perses* qu'*Œdipe roi,* est alors traditionnellement baptisée *tragédie,* et Aristote ne songe évidemment pas à contester cette dénomination. L'autre est purement thématique, et d'ordre plutôt anthropologique que poétique : c'est le *tragique,* c'est-à-dire le sentiment de l'ironie du destin, ou de la cruauté des dieux ; c'est elle que visent pour l'essentiel les chapitres VI à XIX. Ces deux réalités sont en relation d'intersection, et le terrain où elles se recouvrent est celui de la tragédie au sens (aristotélicien) strict, ou tragédie par excellence, satisfaisant à toutes les conditions (coïncidence, revirement, reconnaissance, etc.) de production de la terreur et de la pitié, ou plutôt de ce mélange spécifique de terreur et de pitié que provoque au théâtre la manifestation cruelle du destin.

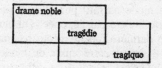

En termes de système des genres, la tragédie est donc une spécification thématique du drame noble, tout comme pour nous le vaudeville est une spécification thématique de la

---

soient régulières à cela près, ne laissent pas d'être parfaites dans leur genre, bien qu'elles demeurent dans un rang moins élevé et n'approchent pas de la beauté et de l'éclat des autres... » Bel exemple de ces arguties par lesquelles on « s'accommodait » (le mot est de Corneille lui-même, p. 60) transitoirement avec une orthodoxie que l'on osait déjà bousculer en fait, mais non encore en paroles.

comédie, ou le roman policier une spécification thématique du
roman. Distinction évidente pour tous après Diderot, Lessing
ou Schlegel, mais qu'a masquée pendant des siècles une
équivoque terminologique entre le sens large et le sens étroit
du mot *tragédie*. De toute évidence, Aristote adopte successivement l'un et l'autre sans trop se soucier de leur différence,
et sans se douter, j'espère, de l'imbroglio théorique où son
insouciance allait jeter, bien des siècles plus tard, quelques
poéticiens piégés à cette confusion, et naïvement acharnés à
appliquer et faire appliquer à l'ensemble d'un genre les
normes qu'il avait dégagées pour une de ses espèces.

### III

Mais revenons au système initial, que cette mémorable
digression sur le tragique déborde apparemment sans le répu-
dier : on a vu qu'il ne faisait et ne pouvait par définition faire
aucune place au poème lyrique. Mais on a vu aussi qu'il
oubliait ou semblait oublier au passage la distinction platonicienne entre le mode narratif pur, illustré par le dithyrambe,
et le mode mixte illustré par l'épopée. Ou plus exactement, je
le rappelle une dernière fois, Aristote reconnaît parfaitement
— et *valorise* — le caractère mixte du mode épique : ce qui
disparaît chez lui, c'est le statut du dithyrambe, et du même
coup le besoin de distinguer entre narratif pur et narratif
impur. Dès lors, et si peu qu'elle le soit et doive l'être, on
rangera l'épopée parmi les genres narratifs : après tout, il y
suffit à la limite d'un mot introductif assumé par le poète,
quand bien même toute la suite ne serait que dialogue — de
même qu'il suffira quelque vingt-cinq siècles plus tard de
l'absence d'une telle introduction pour constituer le « monologue intérieur », procédé presque aussi vieux que le récit, en
« forme » romanesque à part entière. En somme, si pour
Platon l'épopée relevait du mode mixte, pour Aristote elle
relève du mode narratif, *quoique essentiellement mixte ou*

*impure,* ce qui signifie évidemment que le critère de pureté n'a plus de pertinence.

Il se passe là — entre Platon et Aristote — quelque chose que nous avons du mal à apprécier, entre autres parce que le corpus dithyrambique nous fait cruellement défaut. Mais le ravage des siècles n'en est sans doute pas seul responsable : Aristote parle déjà de ce genre comme au passé, et il a sans doute quelques raisons de le négliger *quoique narratif,* et pas seulement, par parti pris mimétiste, *parce que purement narratif.* Et nous savons bien d'expérience que le narratif pur (*telling* sans *showing,* dans les termes de la critique américaine) est un pur possible, presque dénué d'investissement au niveau d'une œuvre entière, et a fortiori d'un genre : on citerait difficilement une nouvelle sans dialogue et, pour l'épopée ou le roman, la chose est hors de question. Si le dithyrambe est un genre fantôme, le narratif pur est un mode fictif, ou du moins purement « théorique », et son abandon est *aussi* chez Aristote une manifestation caractérisée d'empirisme.

Reste pourtant, si l'on compare le système des modes selon Platon et Aristote, qu'une case du tableau s'est vidée (et du coup perdue) en route. A la triade platonicienne

s'est substitué le couple aristotélicien

et ce, non par éviction du mixte : c'est le narratif pur qui disparaît parce que inexistant, et le mixte qui s'intronise narratif, comme seul narratif existant.

Il y a là, dira le lecteur perspicace, une place à prendre, et la suite se devine aisément, surtout quand on connaît déjà la fin. Mais ne brûlons pas trop d'étapes.

# IV

Pendant plusieurs siècles[29], la réduction platonico-aristotéli-
cienne du poétique au représentatif va peser sur la théorie des
genres et y entretenir le malaise ou la confusion. La notion de
poésie lyrique n'est évidemment pas ignorée des critiques
alexandrins, mais elle n'est pas mise en paradigme avec celles de
poésie épique et dramatique, et sa définition est encore purement technique (poèmes accompagnés à la lyre), et restrictive :
Aristarque, au IIIe-IIe siècle avant J.-C., dresse une table de neuf
poètes lyriques (dont Alcée, Sapho, Anacréon et Pindare), qui
restera longtemps canonique, et qui exclut par exemple l'iambe
et le distique élégiaque. Chez Horace, pourtant lui-même
lyrique et satiriste, l'*Art poétique* se réduit, en fait de genres, à
un éloge d'Homère et à un exposé des règles du poème
dramatique. La liste de lectures grecques et latines conseillées
par Quintilien au futur orateur mentionne, outre l'histoire, la
philosophie et naturellement l'éloquence, sept genres poétiques : l'épopée (qui englobe ici toutes les sortes de poèmes
narratifs, descriptifs ou didactiques, dont ceux d'Hésiode, de
Théocrite, de Lucrèce), la tragédie, la comédie, l'élégie (Calli-
maque, les élégiaques latins), l'iambe (Archiloque, Horace), la
satire (« *tota nostra* » : Lucilius et Horace), et le poème lyrique,
illustré entre autres par Pindare, Alcée et Horace ; autrement
dit, le lyrique n'est ici qu'un genre non narratif et non

---

29. Les indications historiques qui suivent sont en grande partie
empruntées à : E. Faral, *Les Arts poétiques du moyen âge,* Champion,
1924 ; I. Behrens, *op. cit.* ; A. Warren, *op. cit.* ; M. H. Abrams, *The
Mirror and the Lamp,* Oxford, 1953 ; M. Fubini, « Genesi e storia dei
generi litterari » (1951), *Critica e poesia,* Bari, 1966 ; R. Wellek,
« Genre Theory, the Lyric, and *Erlebnis* » (1967), *Discriminations,*
Yale, 1970 ; P. Szondi, « La théorie des genres poétiques chez F. Schlegel » (1968), *Poésie et Poétique de l'idéalisme allemand,* Éd. de Minuit,
1975 ; W. V. Ruttkowski, *Die Literarischen Gattungen,* Francke, Berne,
1968 ; C. Guillen, « Literature as System » (1970), *Literature as System,*
Princeton, 1971.

dramatique parmi d'autres, et il se réduit en fait à une forme, qui est l'ode.

Mais la liste de Quintilien n'est évidemment pas un *art poétique,* puisqu'elle comporte des œuvres en prose. Les tentatives ultérieures de systématisation, à la fin de l'Antiquité et au Moyen Âge, s'efforcent d'intégrer la poésie lyrique aux systèmes de Platon ou d'Aristote sans modifier leurs catégories. Ainsi, Diomède (fin du IV$^e$ siècle) rebaptise « genres » (*genera*) les trois modes platoniciens, et y répartit tant bien que mal les « espèces » (*species*) que nous appellerions genres : le *genus imitativum* (dramatique), où seuls parlent les personnages, comprend les espèces tragique, comique, satyrique (c'est le drame satyrique des anciennes tétralogies grecques, que Platon et Aristote ne mentionnaient pas) ; le *genus ennarativum* (narratif), où seul parle le poète, comprend les espèces narrative proprement dite, sententieuse (gnomique ?) et didactique ; le *genus commune* (mixte), où parlent alternativement l'un et les autres, les espèces héroïque (épopée) et… lyrique (Archiloque et Horace). Proclus (V$^e$ siècle) supprime, comme Aristote, la catégorie mixte, et range avec l'épopée dans le genre narratif l'iambe, l'élégie et le « mélos » (lyrisme). Jean de Garlande (fin XI$^e$-début XII$^e$) revient au système de Diomède.

Les arts poétiques du XVI$^e$ siècle renoncent généralement à tout système et se contentent de juxtaposer les espèces. Ainsi Peletier du Mans (1555) : épigramme, sonnet, ode, épître, élégie, satire, comédie, tragédie, « œuvre héroïque » ; ou Vauquelin de La Fresnaye (1605) : épopée, élégie, sonnet, iambe, chanson, ode, comédie, tragédie, satire, idylle, pastorale ; ou Philip Sidney (*An Apologie for Poetrie,* 1580) : héroïque, lyrique, tragique, comique, satirique, iambique, élégiaque, pastoral, etc. Les grandes Poétiques du classicisme, de Vida à Rapin, sont essentiellement, comme on le sait, des commentaires d'Aristote, où se perpétue l'infatigable débat sur les mérites comparés de la tragédie et de l'épopée, sans que l'émergence, au XVI$^e$ siècle, de genres nouveaux comme le poème héroïco-romanesque, le roman pastoral, la pastorale dramatique ou la tragi-comédie, trop facilement réductibles aux modes narratif ou dramatique, réussissent à vraiment modifier le tableau. La reconnaissance *de facto* des diverses formes non représentatives et le maintien de l'orthodoxie aristotélicienne se concilieront tant bien que mal dans la vulgate classique en une distinction commode entre les « grands genres » et... les autres, dont témoigne parfaitement (quoique implicitement) la disposition de l'*Art poétique* de Boileau (1674) : le chant III traite de la tragédie, de l'épopée et de la comédie ; le chant II aligne, sans aucune catégorisation d'ensemble, comme chez les prédécesseurs du XVIᵉ siècle, idylle, élégie, ode, sonnet, épigramme, rondeau, madrigal, ballade, satire, vaudeville et chanson[30]. La même année, Rapin thématise et accentue cette division :

> La Poétique générale peut être distinguée en trois diverses espèces de Poème parfait, en l'Épopée, la Tragédie et la Comédie, et ces trois espèces peuvent se réduire à deux seulement dont l'une consiste dans l'action et l'autre dans la narration. Toutes les autres espèces dont Aristote fait mention (?) peuvent se réduire à ces deux-là : la Comédie au Poème dramatique, la Satire à la Comédie, l'Ode et l'Églogue au Poème héroïque. Car le Sonnet, le Madrigal, l'Épigramme, le Rondeau, la Ballade ne sont que des espèces du Poème imparfait[31].

En somme, les genres non représentatifs n'ont le choix qu'entre l'annexion valorisante (la satire à la comédie et donc au poème dramatique, l'ode et l'églogue à l'épopée) et le rejet dans les ténèbres extérieures, ou si l'on préfère dans les limbes de l' « imperfection ». Rien sans doute ne commente mieux cette

---

30. Rappelons que les chants I et IV sont consacrés à des considérations transgénériques. Et, au passage, que certains malentendus, pour ne pas dire contresens, sur la « doctrine classique » tiennent à une généralisation abusive de « préceptes » spécifiques passés en proverbes hors contexte et donc hors pertinence : ainsi, chacun sait qu' « un beau désordre est un effet de l'art » ; mais voilà un alexandrin de dix pieds, que l'on complète volontiers par un « Souvent » aussi apocryphe qu'évasif. Le vrai début est : « Chez elle ». Chez qui ? Réponse chant II, v. 68-72.

31. *Réflexions sur la Poétique*, 1674, 2ᵉ partie, chap. I.

évaluation ségrégative que l'aveu découragé de René Bray, lorsque, après avoir étudié les théories classiques des « grands genres », puis tenté de rassembler quelques indications sur la poésie bucolique, l'élégie, l'ode, l'épigramme et la satire, il s'interrompt brusquement :

> Mais cessons de glaner une si pauvre doctrine. Les théoriciens ont eu trop de mépris pour tout ce qui n'est pas les grands genres. La tragédie, le poème héroïque, voilà ce qui a retenu leur attention [32].

A côté, ou plutôt donc au-dessous des grands genres narratifs et dramatiques, c'est une poussière de petites formes, dont l'infériorité ou l'absence de statut poétique tient un peu à l'exiguïté réelle de leurs dimensions et supposée de leur objet, et beaucoup à l'exclusive séculaire jetée sur tout ce qui n'est pas « imitation d'hommes agissants ». L'ode, l'élégie, le sonnet, etc. n' « imitent » aucune action puisqu'en principe ils ne font qu'énoncer, comme un discours ou une prière, les idées ou les sentiments, réels ou fictifs, de leur auteur. Il n'y a donc que deux façons concevables de les promouvoir à la dignité poétique : la première maintient, en l'élargissant quelque peu, le dogme classique de la *mimèsis* et s'efforce de montrer que ce type d'énoncés est encore à sa manière une « imitation » ; la seconde consiste, plus radicalement, à rompre avec le dogme et à proclamer l'égale dignité poétique d'une expression non représentative. Ces deux gestes nous semblent aujourd'hui antithétiques et logiquement incompatibles. En fait, ils vont se succéder et s'enchaîner presque sans heurt, le premier préparant et couvrant le second, comme il arrive que les réformes fassent le « lit » des révolutions.

---

32. *Formation de la doctrine classique* (1927), Nizet, 1966, p. 354.

V

L'idée de fédérer toutes les sortes de poème non mimétique pour les constituer en tiers parti sous le nom commun de « poésie lyrique » n'est pas tout à fait inconnue de l'âge classique : elle y est seulement marginale et pour ainsi dire hétérodoxe. La première occurrence relevée par Irene Behrens se trouve chez l'Italien Minturno, pour qui « la poésie se divise en trois parties, dont l'une s'appelle scénique, l'autre lyrique, la troisième épique[33] ». Cervantes, au chapitre 47 du *Quichotte*, prête au curé une quadripartition où la poésie scénique s'est scindée en deux : « l'écriture décousue [des romans de chevalerie] donne lieu à un auteur de se pouvoir montrer épique, lyrique, tragique, comique ». Milton croit trouver chez Aristote, chez Horace et dans les « commentaires italiens de Castelvetro, Tasso, Mazzoni et autres » les règles « d'un vrai poème épique, dramatique ou lyrique » : premier exemple, à ma connaissance, de notre attribution abusive[34]. Dryden distingue trois « manières » (*ways*) : dramatique, épique, lyrique[35]. Gravina consacre un chapitre de sa *Ragion poetica* (1708) à l'épique et au dramatique, le suivant au lyrique. Houdar de La Motte, qui est un « moderne » au sens de la Querelle, met en parallèle les trois catégories et se qualifie lui-même de « poète épique, dramatique et lyrique à la fois[36] ». Enfin Baumgarten, dans un texte de 1735 qui ébauche ou préfigure son *Esthétique*, évoque « le lyrique, l'épique, le dramatique et leurs subdivisions génériques[37] ». Et cette énumération ne se prétend pas exhaustive.

Mais aucune de ces propositions n'est véritablement motivée

33. *De Poeta*, 1559 ; même division dans son *Arte poetica* en italien de 1563

34 *Treatise of Education*, 1644.

35 Préface à l'*Essay of Dramatic Poetry*, 1668.

36 *Réflexions sur la critique*, 1716, p. 166.

37. *Lyricum, epicum, dramaticum cum subdivis generibus* (*meditationes philosophicae de nonnullis ad poema pertinentibus*, 1735, § 106).

et théorisée. Le plus ancien effort en ce sens semble avoir été le fait de l'Espagnol Francisco Cascales, dans ses *Tablas poeticas* (1617) et *Cartas philologicas* (1634) : le lyrique, dit Cascales à propos du sonnet, a pour « fable » non une action, comme l'épique et le dramatique, mais une pensée (*concepto*). La distorsion imposée ici à l'orthodoxie est significative : le terme de *fable* (*fabula*) est aristotélicien, celui de *pensée* pourrait correspondre au terme, également aristotélicien, de *dianoia*. Mais l'idée qu'une pensée puisse servir de fable à quoi que ce soit est totalement étrangère à l'esprit de la *Poétique,* qui définit expressément la fable (*muthos*) comme l' « assemblage des actions[38] », et où la *dianoia* (« ce que les personnages disent pour démontrer quelque chose ou déclarer ce qu'ils décident ») ne recouvre guère que l'appareil d'argumentation desdits personnages ; Aristote rejette donc fort logiquement son étude « dans les traités consacrés à la rhétorique[39] ». Quand bien même on en étendrait, comme Northrop Frye[40], la définition à la pensée du poète lui-même, il est évident que tout cela ne saurait constituer une fable au sens aristotélicien. Cascales couvre encore d'un vocabulaire orthodoxe une idée qui l'est déjà aussi peu que possible, à savoir qu'un poème, comme un discours ou une lettre, peut avoir pour sujet une pensée ou un sentiment que, simplement, il expose ou exprime. Cette idée, qui nous est aujourd'hui plus que banale, est restée pendant des siècles non pas sans doute impensée (aucun poéticien ne pouvait ignorer l'immense corpus qu'elle recouvre), mais presque systématiquement refoulée, parce que impossible à intégrer au système d'une poétique fondée sur le dogme de l' « imitation ».

L'effort de Batteux — dernier effort de la poétique classique pour survivre en s'ouvrant à ce qu'elle n'avait pu ni ignorer ni

---

38. 1450 *a ;* cf. 51 *b :* « Le poète doit être artisan de fables plutôt qu'artisan de vers, vu qu'il est poète à raison de l'imitation et qu'il imite les actions. »
39. 1456 *a.*
40. *Anatomie,* p. 70-71.

accueillir — consistera donc à tenter cet impossible, en maintenant l'imitation comme principe unique de toute poésie, comme
de tous les arts, mais en étendant ce principe à la poésie lyrique
elle-même. C'est l'objet de son chapitre 13, « Sur la poésie
lyrique ». Batteux reconnaît d'abord qu'à l'examiner superfi-
ciellement « elle paraît se prêter moins que les autres espèces au
principe général qui ramène tout à l'imitation ». Ainsi, dit-on,
les psaumes de David, les odes de Pindare et d'Horace ne sont
que « feu, sentiment, ivresse… chant qu'inspire la joie, l'admiration, la reconnaissance… cri du cœur, élan où la nature fait
tout et l'art rien ». Le poète, donc, y exprime ses sentiments et
n'y imite rien.

> Ainsi deux choses sont vraies : la première, que les
> poésies lyriques sont de vrais poèmes ; la seconde, que ces
> poésies n'ont point le caractère de l'imitation.

En fait, répond Batteux, cette pure expression, cette vraie
poésie sans imitation, ne se trouve que dans les cantiques sacrés.
C'est Dieu lui-même qui les dictait, et Dieu « n'a pas besoin
d'imiter, il crée ». Les poètes au contraire, qui ne sont que des
hommes,

> n'ont d'autre secours que celui de leur génie naturel,
> qu'une imagination échauffée par l'art, qu'un enthou-
> siasme de commande. Qu'ils aient eu un sentiment réel
> de joie, c'est de quoi chanter, mais un couplet ou deux
> seulement. Si on veut plus d'étendue, c'est à l'art à
> coudre à la pièce de nouveaux sentiments qui ressemblent
> aux premiers. Que la nature allume le feu ; il faut au
> moins que l'art le nourrisse et l'entretienne. Ainsi l'exem-
> ple des prophètes, qui chantaient sans imiter, ne peut
> tirer à conséquence contre les poètes imitateurs.

Les sentiments exprimés par les poètes sont donc, au moins en
partie, des sentiments feints par art, et cette partie emporte le

tout, puisqu'elle montre qu'il est *possible* d'exprimer des sentiments fictifs, comme le prouvait d'ailleurs depuis toujours la pratique du drame et de l'épopée :

> Tant que l'action [y] marche, la poésie est épique ou dramatique ; dès qu'elle s'arrête, et qu'elle ne peint que la seule situation de l'âme, le pur sentiment qu'elle éprouve, elle est de soi lyrique : il ne s'agit que de lui donner la forme qui lui convient pour être mise en chant. Les monologues de Polyeucte, de Camille, de Chimène sont des morceaux lyriques ; et si cela est, pourquoi le sentiment, qui est sujet à l'imitation dans un drame, ne serait-il pas dans une ode ? Pourquoi imiterait-on la passion dans une scène, et qu'on ne pourrait pas l'imiter dans un chant ? Il n'y a donc point d'exception. Tous les poètes ont le même objet, qui est d'imiter la nature, et ils ont tous la même méthode à suivre pour l'imiter.

La poésie lyrique est donc elle aussi imitation : elle imite des sentiments. Elle

> pourrait être regardée comme une espèce à part, sans faire tort au principe où les autres se réduisent. Mais il n'est pas besoin de les séparer : elle entre naturellement et même nécessairement dans l'imitation, avec une seule différence qui la caractérise et la distingue : c'est son objet particulier. Les autres espèces de poésie ont pour objet principal les actions ; la poésie lyrique est toute consacrée aux sentiments : c'est sa matière, son objet essentiel.

Voilà donc la poésie lyrique intégrée à la poétique classique. Mais, comme on a pu le voir, cette intégration n'est pas allée sans deux distorsions fort sensibles, de part et d'autre : d'un côté, il a fallu passer sans le dire d'une simple *possibilité* d'expression fictive à une fictivité *essentielle* des sentiments exprimés, ramener tout poème lyrique au modèle rassurant du monologue tragique, pour introduire au cœur de toute création lyrique cet écran de fiction sans quoi l'idée d'imitation ne pourrait s'y appliquer ; de l'autre, il a fallu, comme le faisait déjà Cascales, passer du terme orthodoxe « imitation d'actions » à un terme plus large : imitation tout court. Comme le dit encore Batteux lui-même :

> dans la poésie épique et dramatique, on imite les actions et les mœurs ; dans le lyrique, on chante les sentiments ou les passions imitées [41].

La dissymétrie reste évidente, et avec elle la trahison subreptice d'Aristote. Une (pré)caution supplémentaire sera donc de ce côté-là bien nécessaire, et c'est à quoi tend l'addition du chapitre « Que cette doctrine est conforme à celle d'Aristote ».

Le principe de l'opération est simple, et nous le connaissons déjà : il consiste à tirer d'une remarque stylistique assez marginale une tripartition des genres poétiques en dithyrambe, épopée, drame, qui ramène Aristote au point de départ platonicien, puis à interpréter le dithyrambe comme un exemple de genre lyrique, ce qui permet d'attribuer à la *Poétique* une triade à laquelle ni Platon ni Aristote n'avaient jamais songé. Mais il faut aussitôt ajouter que ce détournement générique n'est pas sans arguments sur le plan modal : la définition initiale du mode narratif pur, rappelons-le, était que le poète y constitue le seul sujet d'énonciation, gardant le monopole du discours sans jamais le céder à aucun de ses personnages. C'est bien aussi ce qui se passe en principe dans le poème lyrique, à cette seule différence près que le discours en question n'y est pas essentiellement narratif. Si l'on néglige cette clause pour définir les trois modes platoniciens en termes de pure énonciation, on obtient cette tripartition :

---

41. Chapitre « Sur la poésie lyrique », *in fine*. Accessoirement, le passage (par-dessus le silence classique) du *concepto* de Cascales aux *sentiments* de Batteux mesure bien la distance entre l'intellectualisme baroque et le sentimentalisme préromantique.

| énonciation réservée au poète | énonciation alternée | énonciation réservée aux personnages |
|---|---|---|

La première situation ainsi définie peut être aussi bien purement narrative, ou purement « expressive », ou mêler, en quelque proportion que ce soit, les deux fonctions. En l'absence, déjà reconnue, d'un véritable genre purement narratif, elle est donc toute désignée pour accueillir toute espèce de genre voué de manière dominante à l'expression, sincère ou non, d'idées ou de sentiments : fourre-tout négatif (tout ce qui n'est ni narratif ni dramatique) [42], que la qualification de lyrique couvrira de son hégémonie, et de son prestige. D'où le tableau attendu :

| lyrique | épique | dramatique |
|---|---|---|

On objectera justement à une telle « accommodation » que cette définition modale du lyrique ne peut s'appliquer aux monologues dits « lyriques » du théâtre, style Stances de Rodrigue, auxquels Batteux tient tant pour la raison que l'on a vue, et où le sujet d'énonciation n'est pas le poète. Aussi faut-il rappeler qu'elle n'est pas le fait de Batteux, qui ne se soucie nullement de modes, non plus d'ailleurs que ses successeurs romantiques. Ce compromis (trans)historique, jusqu'alors « rampant », ne s'est déclaré qu'au xxe siècle, quand la situation d'énonciation est revenue sur le devant de la scène pour les

---

42. Mario Fubini (*op. cit.*) cite cette phrase révélatrice d'une adaptation italienne des *Leçons de rhétorique et des Belles Lettres* de Blair (1783 ; « Compendiate dal P. Soave, Parma, 1835 », p. 211) : « On distingue communément trois genres de poésie : l'épique, la dramatique et la lyrique, en comprenant sous cette dernière tout ce qui n'appartient pas aux deux premières. » Sauf erreur, cette réduction n'est nulle part chez Blair lui-même, qui, plus proche de l'orthodoxie classique, distinguait poésie dramatique, épique, lyrique, pastorale, didactique, descriptive et... hébraïque.

raisons plus générales que l'on sait. Entre-temps, le cas délicat du « monologue lyrique » était passé au second plan. Bien entendu, il reste entier, et démontre pour le moins que les définitions modale et générique ne coïncident pas toujours : modalement, c'est toujours Rodrigue qui parle, que ce soit pour chanter son amour ou pour provoquer don Gormas ; génériquement, ceci est « dramatique » et cela (avec ou sans marques formelles de mètres et/ou de strophes) est « lyrique », et la distinction, une fois de plus, est d'ordre (partiellement) thématique : tout monologue n'est pas reçu comme lyrique (on ne considérera pas comme tel celui d'Auguste au Ve acte de *Cinna*, bien que son intégration dramatique ne soit pas supérieure à celle des Stances de Rodrigue, l'un comme l'autre conduisant bien à une décision), et inversement un dialogue d'amour (« Ô miracle d'amour !/ Ô comble de misères... ») le sera volontiers.

## VI

Le nouveau système s'est donc substitué à l'ancien par un subtil jeu de glissements, de substitutions et de réinterprétations inconscientes ou inavouées, qui permet de le présenter, non sans abus mais sans scandale, comme « conforme » à la doctrine classique : exemple typique d'une démarche de transition, ou, comme on dit ailleurs, de « révision », ou de « changement dans la continuité ». De l'étape suivante, qui marquera le véritable (et apparemment définitif) abandon de l'orthodoxie classique, nous trouvons un témoignage sur les traces mêmes de Batteux, dans les objections faites à son système par son propre traducteur allemand, Johann Adolf Schlegel[43], qui est aussi — heureuse rencontre — le propre père des deux grands théoriciens du romantisme. Voici en quels termes Batteux lui-même résume, puis réfute ces objections :

43. *Einschränkung der schönen Künste auf einen einzigen Grundsatz,* 1751. La réponse de Batteux est dans la réédition de 1764, en notes au chapitre « Sur la poésie lyrique ».

> M. Schlegel prétend que le principe de l'imitation n'est pas universel dans la poésie [...]. Voici en peu de mots le raisonnement de M. Schlegel. L'imitation de la nature n'est pas le principe unique en fait de poésie, si la nature même peut être sans imitation l'objet de la poésie. Or la nature, etc. Donc...

Et plus loin :

> M. Schlegel ne peut comprendre comment l'ode ou la poésie lyrique peut se rappeler [*sic*] au principe universel de l'imitation : c'est sa grande objection. Il veut qu'en une infinité de cas le poète chante ses sentiments réels, plutôt que des sentiments imités. Cela se peut, j'en conviens même dans ce chapitre qu'il attaque. Je n'avais à y prouver que deux choses : la première, que les sentiments peuvent être feints comme les actions ; qu'étant partie de la nature, ils peuvent être imités comme le reste. Je crois que M. Schlegel conviendra que cela est vrai. La seconde, que tous les sentiments exprimés dans le lyrique, feints ou vrais, doivent être soumis aux règles de l'imitation poétique, c'est-à-dire qu'ils doivent être vraisemblables, choisis, soutenus, aussi parfaits qu'ils peuvent l'être en leur genre, et enfin rendus avec toutes les grâces et toute la force de l'expression poétique. C'est le sens du principe de l'imitation, c'en est l'esprit.

Comme on le voit, la rupture essentielle s'exerce ici dans un infime déplacement d'équilibre : Batteux et Schlegel s'accordent manifestement (et de toute nécessité) pour reconnaître que les « sentiments » exprimés dans un poème lyrique peuvent être ou feints ou authentiques ; pour Batteux, il suffit que ces sentiments *puissent être feints* pour que l'ensemble du genre lyrique reste soumis au principe d'imitation (car pour lui comme pour toute la tradition classique, rappelons-le au passage, imitation n'est pas reproduction, mais bien fiction : imiter, c'est *faire semblant*) ; pour Schlegel, il suffit qu'ils *puissent être authentiques* pour que l'ensemble du genre lyrique échappe à ce principe, qui perd donc aussitôt son rôle de

« principe unique ». Ainsi bascule toute une poétique, et toute une esthétique.

La glorieuse triade va dominer toute la théorie littéraire du romantisme allemand — et donc bien au-delà —, mais non sans subir à son tour quelques nouvelles réinterprétations et mutations internes. Friedrich Schlegel, qui ouvre apparemment le feu, conserve ou retrouve la répartition platonicienne, mais en lui donnant une nouvelle signification : la « forme » lyrique, écrit-il à peu près (je reviens à l'instant sur la teneur précise de cette note) en 1797, est *subjective,* la dramatique est *objective,* l'épique est *subjective-objective.* Ce sont bien les termes de la division platonicienne (énonciation par le poète, par ses personnages, par l'un et les autres), mais le choix des adjectifs déplace évidemment le critère du plan en principe purement technique de la situation énonciative vers un plan plutôt psychologique ou existentiel. D'autre part, la division antique ne comportait aucune dimension diachronique : aucun des modes, ni pour Platon ni pour Aristote, n'apparaissait, en droit ou en fait, comme historiquement antérieur aux autres ; elle ne comportait pas davantage, par elle-même, d'indication valorisante : aucun des modes n'était en principe supérieur aux autres, et de fait, comme on le sait déjà, les partis pris de Platon et d'Aristote étaient, sur le même système, diamétralement opposés. Il n'en va plus de même chez Schlegel, pour qui d'abord la « forme » mixte, en tout cas, est manifestement postérieure aux deux autres :

> La poésie de nature est ou bien subjective ou bien objective, le même mélange n'est pas encore possible pour l'homme à l'état de nature.

Il ne peut donc s'agir d'un état syncrétique original [44] d'où se seraient dégagées ultérieurement des formes plus simples ou

_____

44. Comme le supposait par exemple Blair (*op. cit.,* trad. fr., 1845, t. II, p. 110), pour qui « dans l'enfance de l'art, les différents genres de poésie étaient confondus et, suivant le caprice ou l'enthousiasme du

plus pures ; au contraire, l'état mixte est explicitement valorisé comme tel :

> Il existe une *forme* épique, une *forme* lyrique, une *forme* dramatique, sans l'esprit des anciens genres poétiques qui ont porté ces noms, mais séparées entre elles par une différence déterminée et éternelle. — En tant que *forme,* l'épique l'emporte manifestement. Elle est subjective-objective. La forme *lyrique* est seulement *subjective,* la forme *dramatique* seulement *objective* [45].

Une autre note, de 1800, confirmera :

> Épopée = subjectif-objectif, drame = objectif, lyrisme = subjectif [46].

Mais Schlegel semble avoir quelque peu hésité sur cette répartition, car une troisième note, de 1799, attribuait l'état mixte au drame :

> Épopée = poésie objective, lyrisme = poésie subjective, drame = poésie objective-subjective [47].

---

poète, se trouvaient mélangés dans la même composition. Ce n'est qu'avec les progrès de la société et des sciences qu'ils prirent successivement des formes plus régulières et qu'on leur donna les noms par lesquels nous les désignons aujourd'hui » (ce qui ne l'empêche pas d'avancer aussitôt que les « premières compositions eurent sans doute la forme (lyrique) des odes et des hymnes »). On sait que Goethe trouvera dans la ballade l'*Ur-Ei* générique, matrice indifférenciée de tous les genres ultérieurs, et que selon lui, encore « dans l'ancienne tragédie grecque, nous trouvons aussi les trois genres réunis, c'est au bout d'un certain laps de temps seulement qu'ils se séparent » (Note au *West-östlicher Diwan,* 1819, trad. Lichtenberger, Aubier-Montaigne ; voir plus loin, p. 67).

45. *Kritische F. S. Ausgabe,* E. Behler (éd.), Paderborn-Munich-Vienne, 1958, frag. 322 ; la datation est selon R. Wellek.

46. *Literary Notebooks 1797-1801,* H. Eichner (éd.), Toronto-Londres, 1957, nº 2065.

47. *Ibid.,* nº 1750.

Selon Peter Szondi, l'hésitation tient à ce que Schlegel envisage ici une diachronie restreinte, celle de l'évolution de la poésie grecque, qui culmine dans la tragédie attique, et là une diachronie beaucoup plus vaste, celle de l'évolution de la poésie occidentale, qui culmine dans un « épique » entendu comme roman (romantique)[48].

La valorisation dominante semble bien de ce côté-là chez Schlegel, et l'on ne s'en étonnera pas. Mais elle n'est pas partagée par Hölderlin dans les fragments qu'il consacre, à peu près au même moment[49], à la question des genres :

> Le poème lyrique, note-t-il, idéal selon l'apparence, est naïf par sa signification. C'est une métaphore continue d'un sentiment unique. Le poème épique, naïf selon l'apparence, est héroïque par sa signification. C'est la métaphore de grandes volontés. Le poème tragique, héroïque selon l'apparence, est idéal par sa signification. C'est la métaphore d'une intuition intellectuelle[50].

Ici encore, l'ordre adopté semblerait indiquer une gradation, en l'occurrence favorable au dramatique (« poème tragique »), mais le contexte hölderlinien suggère plutôt, bien sûr, celle du lyrique, explicitement désigné dès 1790, sous l'espèce de l'ode pindarique, comme union de l'*exposition* épique et de la *passion*

---

48. P. Szondi, *op. cit.*, p.131-133. Encore Schlegel réintroduit-il au moins une fois, à l'intérieur même du genre romanesque et selon une structure en abyme que nous retrouverons chez d'autres, la tripartition fondamentale, distinguant « dans les romans un genre lyrique, un genre épique et un genre dramatique » (*Lit. Not.*, n° 1063, cité par Szondi, p. 261), sans qu'on puisse à coup sûr inférer de cet ordre un nouveau schéma diachronique, qui anticiperait en ce cas (voir ci-dessous) celui que proposera Schelling et que retiendra la vulgate.

49. Pendant son séjour à Hombourg, entre septembre 1798 et juin 1800.

50. *Sämtliche Werke,* Beissner (éd.), Stuttgart, 1943, IV, 266, cité par Szondi, *op. cit.*, p. 248.

tragique [51], et un autre fragment de l'époque de Hombourg récuse toute hiérarchie, et même toute succession, en établissant entre les trois genres une chaîne sans fin, en boucle ou en spirale, de dépassements réciproques :

> Le poète tragique gagne à étudier le poète lyrique, le poète lyrique le poète épique, le poète épique le poète tragique. Car dans le tragique réside l'achèvement de l'épique, dans le lyrique l'achèvement du tragique, dans l'épique l'achèvement du lyrique [52].

En fait, les successeurs de Schlegel et de Hölderlin s'accorderont tous à trouver dans le drame la forme mixte, ou plutôt — le mot commence à s'imposer — *synthétique,* et donc inévitablement supérieure. A commencer par August Wilhelm Schlegel, qui écrit dans une note approximativement datée de 1801 :

> La division platonicienne des genres n'est pas valide. Aucun vrai principe poétique dans cette division. Épique, lyrique, dramatique : thèse, antithèse, synthèse. Densité légère, singularité énergique, totalité harmonique... L'épique, l'objectivité pure dans l'esprit humain. Le lyrisme, la subjectivité pure. Le dramatique, l'interprétation des deux [53].

Le schéma « dialectique » est maintenant en place, et il joue au profit du drame — ce qui ressuscite incidemment, et par une

---

51. *SW*, IV, 202 ; Szondi, *op. cit.*, p. 269.
52. *SW*, IV, 273 ; Szondi, *op. cit.*, p. 266.
53. *Kritische Schriften und Briefe,* E. Lohner (éd.), Stuttgart, 1963, II, p. 305-306 (on aimerait évidemment en savoir plus sur le grief adressé à la « division platonicienne »). C'est aussi cette disposition qu'adopte le plus souvent Novalis, avec une interprétation manifestement synthétisante du terme dramatique : frag. 186 : épique, lyrique, dramatique = sculpture, musique, poésie (c'est déjà l'*Esthétique* de Hegel *in nuce*) ; frag. 204 = flegmatique, incitatif, sain mélange ; frag. 277 = corps, âme, esprit ; même ordre au frag. 261 ; seul le 148 donne l'ordre (schellingien, puis hugolien, puis canonique) lyrique-épique-dramatique (*Œuvres complètes,* trad. A. Guerne, Gallimard, 1975, t. II, 3e partie).

voie inattendue, la valorisation aristotélicienne ; la succession, qui restait partiellement indécise chez Friedrich Schlegel, est maintenant explicite : épique-lyrique-dramatique. Mais Schelling va renverser l'ordre des deux premiers termes : l'art commence par la subjectivité lyrique, puis s'élève à l'objectivité épique, et atteint enfin à la synthèse, ou « identification », dramatique[54]. Hegel revient au schéma d'August Wilhelm : d'abord la poésie épique, expression première de la « conscience naïve d'un peuple », puis, « à l'opposé », « lorsque le moi individuel s'est séparé du tout substantiel de la nation », la poésie lyrique, enfin la poésie dramatique, qui « réunit les deux précédentes pour former une nouvelle totalité qui comporte un déroulement objectif et nous fait assister en même temps au jaillissement des événements de l'intériorité individuelle »[55].

C'est pourtant la succession proposée par Schelling qui finira par s'imposer aux XIXe et XXe siècles : ainsi pour Hugo, délibérément installé dans une large diachronie plus anthropologique que poétique, le lyrisme est l'expression des temps primitifs, où « l'homme s'éveille dans un monde qui vient de naître », l'épique (qui englobe d'ailleurs la tragédie grecque) celle des temps antiques, où « tout s'arrête et se fixe », et le drame aux temps modernes, marqués par le christianisme et la déchirure entre l'âme et le corps[56]. Pour Joyce, déjà rencontré,

54. *Philosophie de l'art*, 1802-1805, publ. posthume 1859. Ainsi : « Lyrisme = formation de l'infini en fini = particulier. Épos = présentation (subsomption) du fini dans l'infini = universel. Drame = synthèse de l'universel et du particulier » (trad. Philippe Lacoue-Labarthe et Jean-Luc Nancy, *L'Absolu littéraire, théorie de la littérature du romantisme allemand*, Éd. du Seuil, 1978, p. 405).
55. *Esthétique*, VIII (*La Poésie*), trad. fr., Aubier, p. 129 ; cf. *ibid.*, p. 151 et déjà VI, p. 27-28, 40. La triade romantique commande toute l'architecture apparente de la « Poétique » de Hegel — mais non son véritable contenu, qui se cristallise en phénoménologie de quelques genres spécifiques : épopée homérique, roman, ode, lied, tragédie grecque, comédie ancienne, tragédie moderne, eux-mêmes extrapolés de quelques œuvres ou auteurs paradigmes : *Iliade, Wilhelm Meister*, Pindare, Goethe, *Antigone*, Aristophane, Shakespeare.
56. *Préface de Cromwell*, 1827.

la forme lyrique est le plus simple vêtement verbal d'un instant d'émotion, un cri rythmique pareil à ceux qui jadis excitaient l'homme tirant sur l'aviron ou roulant des pierres vers le haut d'une pente [...]. La forme épique la plus simple émerge de la littérature lyrique lorsque l'artiste s'attarde sur lui-même comme sur le centre d'un événement épique... On atteint la forme dramatique lorsque la vitalité, qui avait flué et tourbillonné autour des personnages, remplit chacun de ces personnages avec une force telle que cet homme ou cette femme en reçoit une vie esthétique propre et intangible. La personnalité de l'artiste, traduite d'abord par un cri, une cadence, une impression, puis par un récit fluide et superficiel, se subtilise enfin jusqu'à perdre son existence et, pour ainsi dire, s'impersonnalise. [...] L'artiste, comme le Dieu de la création, reste à l'intérieur, ou derrière, ou au-delà, ou au-dessus de son œuvre, invisible, subtilisé, hors de l'existence, indifférent, en train de se curer les ongles[57].

Observons au passage que le schéma évolutif a perdu ici toute allure « dialectique » : du cri lyrique à la divine impersonnalité dramatique, il n'y a plus qu'une progression linéaire et univoque vers l'objectivité, sans aucune trace d'un « renversement du pour au contre ». De même chez Staiger, pour qui le passage du « saisissement » (*Ergriffenheit*) lyrique au « panorama » (*Überschau*) épique, puis à la « tension » (*Spannung*) dramatique marque un processus continu d'objectivation, ou de dissociation progressive entre « sujet » ou « objet »[58].

Il serait facile, et un peu vain, d'ironiser sur ce kaléidoscope taxinomique où le schéma trop séduisant de la triade[59] ne cesse de se métamorphoser pour survivre, forme accueillante à tout sens, au gré des supputations hasardeuses (nul ne sait au juste quel genre a historiquement précédé les autres, si tant est

57. *Dedalus, op. cit.,* p. 213-214.
58. E. Staiger, *Grundbegriffe der Poetik,* Zurich, 1946.
59. Sur cette séduction, cf. C. Guillen, *op. cit.*

qu'une telle question se pose) et des attributions interchangeables : posé, sans grande surprise, que le lyrique est le mode le
plus « subjectif », il faut bien affecter l' « objectivité » à l'un des
deux autres, et par force le moyen terme au tiers restant ; mais
comme ici aucune évidence ne s'impose, ce dernier choix reste
essentiellement déterminé par une valorisation implicite — ou
explicite — en « progrès » linéaire ou dialectique. L'histoire de
la théorie des genres est toute marquée de ces schémas
fascinants qui informent et déforment la réalité souvent hétéro-
clite du champ littéraire et prétendent découvrir un « système »
naturel là où ils construisent une symétrie factice à grand renfort
de fausses fenêtres.

Ces configurations forcées ne sont pas toujours sans utilité,
bien au contraire : comme toutes les classifications provisoires,
et à condition d'être bien reçues pour telles, elles ont souvent
une incontestable fonction heuristique. La fausse fenêtre peut
en l'occurrence ouvrir sur une vraie lumière, et révéler l'importance d'un terme méconnu ; la case vide ou laborieusement
garnie peut se trouver beaucoup plus tard un occupant légitime :
lorsque Aristote, observant l'existence d'un récit noble, d'un
drame noble et d'un drame bas, en déduit, par horreur du vide
et goût de l'équilibre, celle d'un récit bas qu'il identifie
provisoirement à l'épopée parodique, il ne se doute pas qu'il
réserve sa place au roman réaliste. Quand Frye, autre grand
artisan de *fearful symmetries,* observant l'existence de trois
types de « fiction » : personnelle-introvertie (le roman romanesque), personnelle-extravertie (le roman réaliste) et intellec-
tuelle-introvertie (l'autobiographie), en déduit celle d'un genre
de fiction intellectuelle-extravertie, qu'il baptise *anatomie,* et
qui rassemble et promeut quelques laissés-pour-compte de la
narration fantaisiste-allégorique tels que Lucien, Varron,
Pétrone, Apulée, Rabelais, Burton, Swift et Sterne, on peut
sans doute contester la procédure, mais non l'intérêt du
résultat[60]. Lorsque Robert Scholes, remaniant la théorie
fryenne des cinq « modes » (mythe, *romance,* haute mimésis,

---

60. *Anatomie,* 4ᵉ essai (Théorie des genres), trad. fr., p. 368-382.

basse mimésis, ironie) pour y mettre un peu plus d'ordre et d'alignement, nous propose son époustouflant tableau des sous-genres de la fiction et de leur évolution nécessaire [61], il est sans doute difficile de le prendre tout à fait à la lettre, mais encore plus difficile de n'y trouver aucune inspiration. Il en va de même de l'encombrante, mais inusable triade, dont je n'ai évoqué ici que quelques performances parmi bien d'autres. L'une des plus curieuses, peut-être, consiste dans les diverses tentatives faites pour l'accoupler à un autre vénérable trio, celui des instances temporelles : passé, présent, futur. Elles ont été fort nombreuses, et je me contenterai de rapprocher une dizaine d'exemples cités par Austin Warren et René Wellek [62]. Pour une lecture plus synthétique, je présente cette confrontation sous la forme de deux tableaux à double entrée. Le premier fait apparaître le temps attribué à chaque « genre » par chaque auteur (p. 128).

Le second (qui n'est évidemment qu'une autre présentation du premier) fait apparaître le nom, et donc le nombre des auteurs qui illustrent chacune de ces attributions (p. 128).

Comme pour la fameuse « couleur des voyelles », il serait d'une pertinence un peu courte d'observer simplement que l'on a attribué successivement tous les temps à chacun des trois genres [63]. Il y a en fait deux dominantes manifestes : l'affinité

61. *Op. cit.*, p. 129-138 ; trad. fr., *Poétique*, 32, p. 507-513. Cf. *supra*, p. 77-88.
62. *Op. cit.* et art. cité. Les textes de référence sont : Humboldt, *Über Goethes Hermann und Dorothea*, 1799 ; Schelling, *Philosophie de l'art*, 1802-1805 ; Jean-Paul, *Vorschule dere Ästhetik*, 1813 ; Hegel, *Esthétique* (VIII, p. 288), vers 1820 ; E. S. Dallas, *Poetics*, 1852 ; F. T. Vischer, *Ästhetik*, 5ᵉ vol., 1857 ; J. Erskine, *The Kinds of Poetry*, 1920 ; R. Jakobson, *Remarques sur la prose de Pasternak*, 1935 ; E. Staiger, *Grundbegriffe der Poetik*, 1946.
63. On observe que certaines listes sont défectives, ce qui, étant donné la tentation du système, est plutôt méritoire. Humboldt oppose plus précisément l'épique (passé) au tragique (présent) à l'intérieur d'une catégorie plus vaste qu'il nomme *plastique*, et qu'il oppose globalement au lyrique ; il serait un peu cavalier d'en déduire en son nom l'équivalence lyrique = futur, et de compléter semblablement les répartitions de Hegel et de Jakobson.

| AUTEURS \ GENRES | LYRIQUE | ÉPIQUE | DRAMATIQUE |
|---|---|---|---|
| HUMBOLDT | | passé | présent |
| SCHELLING | présent | passé | |
| JEAN PAUL | présent | passé | futur |
| HEGEL | présent | passé | |
| DALLAS | futur | passé | présent |
| VISCHER | présent | passé | futur |
| ERSKINE | présent | futur | passé |
| JAKOBSON | présent | passé | |
| STAIGER | passé | présent | futur |

| GENRES \ TEMPS | PASSÉ | PRÉSENT | FUTUR |
|---|---|---|---|
| LYRIQUE | Staiger | Schelling<br>Jean Paul<br>Hegel<br>Vischer<br>Erskine<br>Jakobson | Dallas |
| ÉPIQUE | Humboldt<br>Schelling<br>Jean Paul<br>Hegel<br>Dallas<br>Vischer<br>Jakobson | Staiger | Erskine |
| DRAMATIQUE | Erskine | Humboldt<br>Dallas | Jean Paul<br>Vischer<br>Staiger |

éprouvée entre l'épique et le passé, et celle du lyrique avec le présent ; le dramatique, évidemment « présent » par sa forme (la représentation) et (traditionnellement) « passé » par son objet, restait plus difficile à apparier. La sagesse eût été peut-être de lui affecter le terme mixte ou synthétique, et/ou d'en rester là. Le malheur voulut qu'il existât un troisième temps, et avec lui la tentation irrésistible de l'attribuer à un genre, d'où l'équivalence quelque peu sophistique entre drame et futur, et deux ou trois autres fantaisies laborieuses. On ne peut pas gagner à tous les coups[64], et s'il faut une excuse pour ces tentatives hasardeuses, je la trouverai, à l'inverse, dans l'insatisfaction où nous laisse une énumération ingénue comme celle des neuf *formes simples* de Jolles — dont ce n'est certes ni le seul défaut ni le seul mérite. Neuf formes simples ? Tiens donc[65] ! Comme les neuf muses ? Parce que trois fois trois ? Parce qu'il en a oublié une ? Etc. Comme il nous est difficile d'admettre que Jolles, simplement, en a trouvé neuf, ni plus ni moins, et a dédaigné le plaisir facile, je veux dire peu coûteux, de justifier ce nombre ! Le véritable empirisme choque toujours comme une incongruité.

64. Une autre équivalence, entre genres et personnes grammaticales, a été proposée au moins par Dallas et Jakobson, d'accord (bien qu'ils divergent sur les temps) pour attribuer la première du singulier au lyrique et la troisième à l'épique. Dallas y ajoute, en toute logique, dramatique = deuxième du singulier. Cette répartition est assez séduisante ; mais que faire du pluriel ?

65. Pour les exercices de redressement infligés à la liste de Jolles, voir la « Note de l'éditeur » à la traduction française de *Formes simples,* Éd. du Seuil, 1972, p. 8-9, et Todorov, *Dictionnaire, op. cit.,* p. 201.

## VII

Toutes les théories évoquées jusqu'ici constituaient — de Batteux à Staiger — autant de systèmes inclusifs et hiérarchisés, comme celui d'Aristote, en ce sens que les divers genres poétiques s'y répartissaient sans reste entre les trois catégories fondamentales, comme autant de sous-classes : sous l'épique, épopée, roman, nouvelle, etc. ; sous le dramatique, tragédie, comédie, drame bourgeois, etc. ; sous le lyrique, ode, hymne, épigramme, etc. Mais une telle classification reste encore fort élémentaire, puisque à l'intérieur de chacun des termes de la tripartition motivée les genres particuliers se retrouvent en désordre, ou pour le moins s'organisent — de nouveau comme chez Aristote — selon un autre principe de différenciation, hétérogène à celui qui motive la tripartition elle-même : épopée héroïque *vs* roman sentimental ou « prosaïque », roman long *vs* nouvelle courte, tragédie noble *vs* comédie familière, etc. On éprouve donc parfois le besoin d'une taxinomie plus serrée, qui ordonne selon le même principe jusqu'à la répartition de chaque espèce.

Le moyen le plus fréquemment utilisé consiste tout simplement à réintroduire la triade à l'intérieur de chacun de ses termes. Ainsi Hartman [66] propose-t-il de distinguer un lyrique pur, un lyrique-épique, un lyrique-dramatique ; un dramatique pur, un dramatique-lyrique, un dramatique-épique ; un épique pur, un épique-lyrique, un épique-dramatique — chacune des neuf classes ainsi déterminées étant apparemment définie par un trait dominant et un trait secondaire, faute de quoi les termes mixtes inverses (comme épique-lyrique et lyrique-épique) s'équivaudraient et le système se réduirait à six termes : trois

---

66. *Philosophie des Schönen, Grundriss der Ästhetik*, 1924, p. 235-259 ; cf. Ruttkovski, *op. cit.*, p. 37-38.

purs et trois mixtes. Albert Guérard[67] applique ce principe en illustrant chaque terme d'un ou plusieurs exemples : pour le lyrique pur, les *Wanderers Nachtlieder* de Goethe ; pour le lyrique-dramatique, Robert Browning ; pour le lyrique-épique, la ballade (au sens germanique) ; pour l'épique pur, Homère ; pour l'épique-lyrique, *The Faerie Queene ;* pour l'épique-dramatique, l'*Enfer* ou *Notre-Dame de Paris ;* pour le dramatique pur, Molière ; pour le dramatique-lyrique, *le Songe d'une nuit d'été ;* pour le dramatique-épique, Eschyle ou *Tête d'or*[68].

Mais ces emboîtements de triades ne redoublent pas seulement, comme en abyme, la division fondamentale : ils manifestent sans le vouloir l'existence d'états *intermédiaires* entre les types purs, l'ensemble se bouclant sur lui-même en triangle ou en cercle. Cette idée d'une sorte de spectre des genres, continu et cyclique, avait été proposée par Goethe :

> On peut combiner ces trois éléments (lyrique, épique, dramatique) et faire varier à l'infini les genres poétiques ; et c'est pourquoi aussi il est si difficile de trouver un ordre selon lequel on puisse les classer côte à côte ou l'un à la suite de l'autre. On pourra d'ailleurs se tirer d'affaire en disposant dans un cercle, l'un en face de l'autre, les trois éléments principaux et en cherchant des œuvres modèles où chaque élément prédomine isolément. On rassemblera ensuite des exemples qui inclineront dans un sens ou dans l'autre, jusqu'à ce qu'enfin la réunion des trois se manifeste et que le cercle se trouve entièrement refermé[69]

67. *Préface To World Literature,* New York, 1940, chap. ii, « The Theory of literary Genres » ; Cf. Ruttkovski, *op. cit.,* p. 38.

68. On retrouve l'indication, moins systématique, de ce principe dans le manuel de W. Kayser, *Das Sprachliche Kunstwerk* (Berne, 1948), où les trois « attitudes fondamentales » (*Grundhaltungen*) peuvent se subdiviser à leur tour en lyrique pur, lyrique-épique, etc., soit (pour le lyrique) selon la forme d'énonciation ou de « présentation » (*äussere Darbietungsform*), soit (pour l'épique et le dramatique) selon le contenu anthropologique. Où l'on retrouve à la fois la triade-dans-la-triade, et l'ambiguïté de son principe, modal et/ou thématique.

69. Note au *West-östlicher Diwan, op. cit.,* p. 378. Voir plus loin, p. 141.

Elle a été reprise au xx^e siècle par l'esthéticien allemand Julius Petersen [70], dont le système générique s'appuie sur un groupe de définitions apparemment très homogène : l'épos est la narration (*Bericht*) monologuée d'une action (*Handlung*) ; le drame, la représentation (*Darstellung*) dialoguée d'une action ; le lyrisme, la représentation monologuée d'une situation (*Zustand*). Ces relations se figurent d'abord en un triangle dont chaque genre fondamental, affecté de son trait spécifique, occupe une pointe, chacun des côtés figurant le trait commun aux deux types qu'il réunit : entre lyrisme et drame, la représentation, c'est-à-dire l'expression directe des pensées ou sentiments, soit par le poète, soit par les personnages ; entre lyrisme et épos, le monologue ; entre épos et drame, l'action :

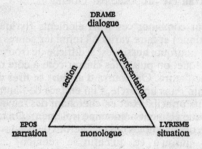

Ce schéma met en évidence une dissymétrie troublante, et peut-être inévitable (elle était déjà chez Goethe, où nous la retrouverons encore) : c'est que, contrairement à l'épos et au drame, dont le trait spécifique est formel (narration, dialogue), le lyrisme se définit ici par un trait thématique : il est le seul à traiter non une action mais une situation ; et, de ce fait, le trait

---

70. « Zur Lehre von der Dichtungsgattungen », *Festschrift A. Sauer*, Stuttgart, 1925, p. 72-116 ; système et schémas repris et perfectionnés dans *Die Wissenschaft von der Dichtung*, Berlin, 1939, Erster Band, p. 119-126 ; cf. Fubini, *op. cit.*, p. 261-269.

commun au drame et à l'épos est le trait thématique (action), alors que le lyrisme partage avec ses deux voisins deux traits formels (monologue et représentation). Mais ce triangle boiteux n'est que le point de départ d'un système plus complexe, qui veut d'une part indiquer sur chaque côté la place de quelques genres mixtes ou intermédiaires tels que le drame lyrique, l'idylle ou le roman dialogué, et d'autre part prendre en compte l'évolution des formes littéraires depuis une *Ur-Dichtung* primitive elle aussi héritée de Goethe jusqu'aux « formes savantes » les plus évoluées. Du coup, le triangle devient, selon la suggestion de Goethe, une roue dont l'*Ur-Dichtung* occupe le moyeu, les trois genres fondamentaux les trois rayons, et les formes intermédiaires les trois quartiers restants, eux-mêmes divisés en segments de couronnes concentriques où l'évolution des formes s'étage du centre vers la périphérie :

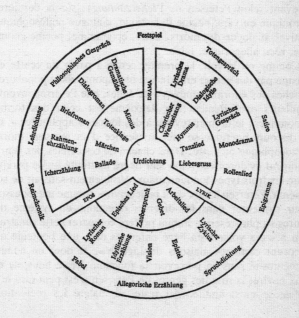

Je laisse sur le schéma les termes génériques allemands utilisés par Petersen, souvent sans exemples, et dont les référents et équivalents français ne sont pas toujours évidents. On s'en voudrait de traduire *Ur-Dichtung*. Pour les autres, à partir de l'épos, hasardons, sur la première couronne : ballade, conte, lamentation funèbre, mime, chant choral alterné, hymne, chant à danser, madrigal, chant de travail, prière, incantation magique, chant épique ; sur la deuxième : récit à la première personne, récit à enchâssement, roman par lettres, roman dialogué, tableau dramatique, drame lyrique, idylle dialoguée, dialogue lyrique, monodrame (ex. Rousseau, *Pygmalion*) ; le *Rollenlied* est un poème lyrique attribué à un personnage historique ou mythologique (Béranger, *les Adieux de Marie Stuart,* ou Goethe, *Ode de Prométhée*) ; cycle lyrique (Goethe, *Élégies romaines*), épître, vision *(Divine Comédie),* idylle narrative, roman lyrique (première partie de *Werther,* la seconde relevant selon Petersen de l'*Icherzählung*) ; sur la dernière : chronique en vers, poème didactique, dialogue philosophique, festival, dialogue des morts, satire, épigramme, poème gnomique, récit allégorique, fable.

Comme on le voit, le premier cercle à partir du centre est occupé par des genres en principe plus spontanés et populaires, proches des « formes simples » de Jolles, que Petersen invoque d'ailleurs explicitement ; le deuxième est celui des formes canoniques ; le dernier revient à des formes « appliquées », où le discours poétique se met au service d'un message moral, philosophique ou autre. Dans chacun de ces cercles, les genres s'étagent évidemment selon leur degré d'affinité ou de parenté avec les trois types fondamentaux. Visiblement satisfait de son schéma, Petersen assure qu'il peut servir « comme une boussole pour s'orienter dans les diverses directions du système des genres » ; plus réservé, Fubini préfère comparer cette construction à « ces voiliers en liège enfermés dans une bouteille qui décorent certaines maisons de Ligurie », et dont on admire l'ingéniosité sans en percevoir la fonction. Vraie boussole ou faux navire, la rose des genres de Petersen n'est peut-être ni si précieuse ni si inutile. Au reste, et malgré les prétentions affichées, elle ne recouvre nullement la totalité des genres existants : le système de représentation adopté ne laisse aucune place bien déterminée aux genres « purs » les plus canoniques, comme l'ode, l'épopée ou la tragédie ; et ses critères de définition essentiellement formels ne lui permettent aucune distinction thématique, comme celles qui opposent la tragédie à la comédie ou le *romance* (roman héroïque ou sentimental) au *novel* (roman de mœurs réaliste). Peut-être y faudrait-il un autre compas, voire une troisième dimension, et sans doute serait-il aussi difficile de les rapporter l'un à l'autre que les diverses grilles concurrentes, et non toujours compatibles, dont se compose le « système » de Northrop Frye. Ici encore, la force de suggestion dépasse de loin la capacité explicative, voire simplement descriptive. On (ne) peut (que) rêver sur tout cela... C'est sans doute à quoi servent les navires en bouteille — et parfois aussi les boussoles anciennes.

Mais nous ne quitterons pas le rayon des curiosités sans accorder un coup d'œil à un dernier système, purement « historique » celui-là, fondé sur la tripartition romantique : c'est celui d'Ernest Bovet, personnage aujourd'hui bien oublié, mais dont nous avons déjà vu qu'il n'avait pas échappé à l'attention d'Irene Behrens. Son ouvrage, paru en 1911, s'intitule exactement *Lyrisme, épopée, drame : une loi de l'évolution littéraire expliquée par l'évolution générale.* Son point de départ est la *Préface de Cromwell,* où Hugo suggère lui-même que la loi de succession lyrique-épique-dramatique peut s'appliquer, ici encore comme en abyme, à chaque phase de l'évolution de chaque littérature nationale : ainsi, pour la Bible, Genèse-Rois-Job ; pour la poésie grecque, Orphée-Homère-Eschyle ; pour la naissance du classicisme français, Malherbe-Chapelain-Corneille. Pour Bovet comme pour Hugo et comme pour les Romantiques allemands, les trois « grands genres » ne sont pas de simples formes (le plus formaliste aura été Petersen) mais « trois modes essentiels de concevoir la vie et l'univers », qui

répondent à trois âges de l'évolution, aussi bien ontogénétique
que phylogénétique, et qui fonctionnent donc à n'importe quel
niveau d'unité. L'exemple choisi est celui de la littérature
française [71], ici découpée en trois grandes ères, dont chacune se
subdivise en trois périodes : l'obsession trinitaire est à son
zénith. Mais, par une première entorse à son système, Bovet n'a
pas tenté de projeter le principe évolutif sur les ères, mais
seulement sur les périodes. La première ère, féodale et catholi-
que (des origines à 1520 environ), connaît une première période
essentiellement lyrique, des origines au début du XII$^e$ siècle : il
s'agit évidemment d'un lyrisme oral et populaire dont toute
trace est aujourd'hui à peu près perdue ; puis une période
essentiellement épique, de 1100 à 1328 environ : chansons de
geste, romans de chevalerie ; le lyrisme entre en décadence, le
drame est encore embryonnaire ; il s'épanouit dans la troisième
période (1328-1520), avec les Mistères et *Pathelin*, tandis que
l'épopée dégénère en prose et le lyrisme, Villon excepté
confirmant la règle, en Grande Rhétorique. La deuxième ère,
de 1520 à la Révolution, est celle de la royauté absolue ; période
lyrique (1520-1610), illustrée par Rabelais, la Pléiade, les
tragédies en fait lyriques de Jodelle et de Montchrestien ; les
épopées de Ronsard et de Du Bartas sont avortées ou man-
quées, d'Aubigné est lyrique ; période épique (1610-1715), non
par l'épopée officielle (Chapelain), qui ne vaut rien, mais par le
*roman*, qui domine toute cette époque et s'illustre chez...
Corneille ; Racine, dont le génie n'est pas romanesque, fait
encore exception, et d'ailleurs son œuvre fut alors mal reçue ;
Molière annonce l'épanouissement du drame, caractéristique de
la troisième période (1715-1780), dramatique par *Turcaret*,
*Figaro, le Neveu de Rameau ;* Rousseau annonce la période
suivante, période lyrique de la troisième ère, de 1789 à nos
jours, dominée jusqu'en 1840 par le lyrisme romantique ;
Stendhal annonce la période épique (1840-1885), dominée par le
roman réaliste et naturaliste, où la poésie (parnassienne) a

---

71. L'évolution de la littérature italienne, avortée par manque d'unité
nationale, sert de contre-exemple. Rien sur les autres littératures.

perdu sa veine lyrique, et où Dumas fils et Henry Becque amorcent la merveilleuse floraison dramatique de la troisième période (depuis 1885), à tout jamais marquée par le théâtre de Daudet, et naturellement de Lavedan, Bernstein et autres géants de la scène ; la poésie lyrique, cependant, sombre dans la décadence symboliste : voyez Mallarmé[72].

## VIII

La réinterprétation romantique du système des modes en système de genres n'est ni en fait ni en droit l'épilogue de cette longue histoire. Ainsi Käte Hamburger, prenant en quelque sorte acte de l'impossibilité de répartir entre les trois genres le couple antithétique subjectivité/objectivité, décidait voici quelques années de réduire la triade à deux termes, le *lyrique* (l'ancien « genre lyrique », augmenté d'autres formes d'expression personnelle comme l'autobiographie et même le « roman à la première personne »), caractérisé par l'*Ich-Origo* de son énonciation, et la *fiction* (qui réunit les anciens genres épique et dramatique, plus certaines formes de poésie narrative, comme la ballade), définie par une énonciation sans trace de son origine[73]. Comme on le voit, le grand exclu de la *Poétique*

---

72. Ernest Bovet enseignait à l'université de Zurich. Son livre est dédié à ses maîtres Henri Morf et Joseph Bédier. Il se déclare en pleine communion intellectuelle antipositiviste avec Bergson, Vossler et (malgré la controverse sur la pertinence de la notion de genre) Croce. Il se défend d'avoir lu une ligne de Hegel, et a fortiori, on peut le supposer, de Schelling ; comme quoi la caricature peut ignorer son modèle.
73. *Die Logik der Dichtung*, Stuttgart, 1957. C'est une bipartition comparable que proposait Henri Bonnet : « Il y a deux genres. Et il n'y en a que deux, car tout ce qui est réel peut être envisagé soit du point de vue subjectif, soit du point de vue objectif... Ces deux genres sont fondés dans la nature des choses. Nous leur donnons le nom de poésie et de roman » (*Roman et Poésie, Essai sur l'esthétique des genres*, Nizet, 1951, p. 139-140). Et pour Gilbert Durand, les deux genres fondamen-

occupe maintenant, belle revanche, la moitié du champ : il est vrai que ce champ n'est plus le même, puisqu'il englobe désormais toute la littérature, prose comprise. Mais, au fait, qu'entendons-nous aujourd'hui — c'est-à-dire, une fois de plus, depuis le romantisme — par poésie ? Le plus souvent, je pense, ce que les préromantiques entendaient par lyrisme. La formule de Wordsworth [74], qui définit la poésie tout entière à peu près comme le traducteur de Batteux définissait la seule poésie lyrique, semble un peu compromettante par le crédit qu'elle fait à l'affectivité et à la spontanéité ; mais non sans doute celle de Stuart Mill, pour qui la poésie lyrique est « *more eminently and peculiarly poetry than any other* », excluant toute narration, toute description, tout énoncé didactique comme antipoétique et décrétant au passage que tout poème épique, « *in so far as it is epic... is no poetry at all* ». Cette idée, reprise ou partagée par Edgar Poe, pour qui « un long poème n'existe pas », sera comme on le sait orchestrée par Baudelaire dans ses *Notices sur Poe* [75], avec pour conséquence explicite la condamnation absolue du poème épique ou didactique, et passera ainsi dans notre vulgate symboliste et « moderne » sous le slogan, aujourd'hui un peu honteux mais toujours actif, de « poésie pure ». Dans la mesure où toute distinction entre genres, voire entre poésie et prose, n'en est pas encore effacée, notre concept implicite de la poésie se confond bel et bien (ce point sera sans doute contesté ou mal reçu à cause des connotations vieillottes ou gênantes attachées au terme, mais à mon avis la pratique même de l'écriture et plus encore de la lecture poétique contemporaine l'établit à l'évidence) avec l'ancien concept de poésie lyrique.

---

taux, fondés sur les deux « régimes », diurne et nocturne, de l'imaginaire, sont l'épique et le lyrique, ou mystique, le romanesque n'étant qu'un « moment », celui qui marque le passage du premier au second (*le Décor mythique de la Chartreuse de Parme*, Corti, 1961).

74. « Poetry is the spontaneous overflow of powerful feelings » (préface aux *Lyrical Ballads*, 1800).

75. Stuart Mill, *What is Poetry ?* et *The Two Kinds of Poetry*, 1833 ; Edgar Poe, *The poetic Principle*, éd. posth., 1850 ; Baudelaire, *Notices sur Edgar Poe*, 1856 et 1857.

Autrement dit : depuis plus d'un siècle, nous considérons comme « *more eminently and peculiarly poetry* »... très précisément le type de poésie qu'Aristote excluait de sa *Poétique*[76].

Un renversement si absolu n'est peut-être pas l'indice d'une véritable émancipation.


## IX


J'ai tenté de montrer pourquoi et comment l'on en était venu d'abord à concevoir, puis, et accessoirement, à prêter à Platon et Aristote une division des « genres littéraires » que refuse toute leur « poétique insciente ». Il faudrait sans doute préciser, pour serrer de plus près la réalité historique, que l'attribution a connu deux périodes et deux motifs très distincts : en fin de classicisme, elle procédait à la fois d'un respect encore vif et d'un besoin de caution du côté de l'orthodoxie ; au XXe siècle, elle s'explique davantage par l'illusion rétrospective (la vulgate est si bien établie qu'on imagine mal qu'elle n'ait pas toujours existé), et aussi (c'est manifeste chez Frye, par exemple) par un regain légitime d'intérêt pour une interprétation modale — c'est-à-dire par la situation d'énonciation — des faits de genre ; entre les deux, la période romantique et post-romantique s'est fort peu souciée de mêler Platon et Aristote à tout cela. Mais l'actuel télescopage de ces diverses positions — le fait, par exemple, de se réclamer à la fois d'Aristote, de Batteux, de Schlegel (ou, nous allons le voir, de Goethe), de Jakobson, de Benveniste et de la philosophie analytique anglo-américaine — aggrave les inconvénients théoriques de cette attribution erronée, ou — pour la définir elle-même en termes théoriques — de cette confusion entre modes et genres.


76. Voir encore le tout récent Jean Cohen, *Le Haut Langage*, Flammarion, 1979.

Chez Platon, et encore chez Aristote, nous l'avons vu, la division fondamentale avait un statut bien déterminé, puisqu'elle portait explicitement sur le *mode d'énonciation* des textes. Dans la mesure où ils étaient pris en considération (fort peu chez Platon, davantage chez Aristote), les genres proprement dits venaient se répartir entre les modes en tant qu'ils relevaient de telle ou telle attitude d'énonciation : le dithyrambe, de la narration pure ; l'épopée, de la narration mixte ; la tragédie et la comédie, de l'imitation dramatique. Mais cette relation d'inclusion n'empêchait pas le critère générique et le critère modal d'être absolument hétérogènes, et de statut radicalement différent : chaque genre se définissait essentiellement par une spécification de contenu que rien ne prescrivait dans la définition du mode dont il relevait. La division romantique et postromantique, en revanche, envisage le lyrique, l'épique et le dramatique non plus comme de simples modes d'énonciation, mais comme de véritables genres, dont la définition comporte déjà inévitablement un élément thématique, si vague soit-il. On le voit bien entre autres chez Hegel, pour qui il existe un *monde* épique, défini par un type déterminé d'agrégation sociale et de rapports humains, un *contenu* lyrique (le « sujet individuel »), un *milieu* dramatique « fait de conflits et de collisions », ou chez Hugo, pour qui par exemple le véritable drame est inséparable du message chrétien (séparation de l'âme et du corps) ; on le voit encore chez Viëtor, pour qui les trois grands genres expriment trois « attitudes fondamentales [77] » : au lyrique le sentiment, à l'épique la connaissance, au dramatique la volonté et l'action, ce qui ranime, mais en l'affectant d'une permutation entre épique et dramatique, la répartition hasardée par Hölderlin à la fin du XVIIIᵉ siècle.

77. « Die Geschichte literarischer Gattungen » (1931), trad. fr., *Poétique*, 32, p. 490-506. Même terme *(Grundhaltung)*, on l'a vu, chez Kayser, et même notion déjà chez Bovet, qui parlait de « modes essentiels de concevoir la vie et l'univers ».

Le passage d'un statut à l'autre est clairement, sinon volontairement, illustré par un célèbre texte de Goethe [78], déjà plusieurs fois rencontré de biais et qu'il faut maintenant considérer pour lui-même. Goethe y oppose aux simples « espèces poétiques » (*Dichtarten*) que sont les genres particuliers comme le roman, la satire ou la ballade, ces « trois authentiques formes naturelles » (*drei echte Naturformen*) de la poésie que sont l'épos, défini comme narration pure (*klar erzählende*), le lyrique, comme transport enthousiaste (*enthusiastisch aufgeregte*), et le drame, comme représentation vivante (*persönlich handelnde*). « Ces trois modes poétiques (*Dichtweisen*), ajoute-t-il, peuvent agir soit ensemble soit séparément. » L'opposition entre *Dichtarten* et *Dichtweisen* recouvre avec précision la distinction entre genres et modes, et elle est confirmée par la définition purement modale de l'épos et du drame. En revanche, celle du lyrique est plutôt thématique, ce qui enlève de sa pertinence au terme *Dichtweisen*, et nous renvoie à la notion plus indécise de *Naturform*, qui couvre toutes les interprétations, et qui — pour cette raison même, sans doute — est la plus fréquemment retenue par les commentateurs.

Mais toute la question, précisément, est de savoir si la qualification de « formes naturelles » peut encore être légitime-

78. Il s'agit de deux notes conjointes (*Dichtarten* et *Naturformen der Dichtung*) au *Diwan* de 1819. La liste des *Dichtarten*, volontairement donnée dans l'ordre alphabétique, est : allégorie, ballade, cantate, drame, élégie, épigramme, épître, épopée, récit (*Erzählung*), fable, héroïde, idylle, poème didactique, ode, parodie, roman, romance, satire. La traduction de *klar erzählende* et de *persönlich handelnde* est plus prudente ou plus évasive (« qui raconte clairement » et « qui agit personnellement ») dans l'édition bilingue du *Diwan* donnée (sans le texte allemand des Notes) par Lichtenberger, p. 377-378 : mais il me semble que l'interprétation modale est confirmée dans la même note par deux autres indications : « Dans la tragédie française, l'exposition est épique, la partie moyenne dramatique », et, de critère rigoureusement aristotélicien : « L'épopée (*Heldengedicht*) homérique est purement épique : le rhapsode est toujours au premier plan pour raconter les événements ; nul ne peut ouvrir la bouche qu'il ne lui ait préalablement donné la parole » ; dans les deux cas, «épique » signifie manifestement *narratif*.

ment appliquée à la triade *lyrique/épique/dramatique* redéfinie
en termes génériques. Les modes d'énonciation peuvent à la
rigueur être qualifiés de « formes naturelles », au moins au sens
où l'on parle de « langues naturelles » : toute intention littéraire
mise à part, l'usager de la langue doit constamment, même ou
surtout si inconsciemment, choisir entre des attitudes de locu-
tion telles que discours et histoire (au sens benvenistien),
citation littérale et style indirect, etc. La différence de statut
entre genres et modes est essentiellement là : les genres sont des
catégories proprement littéraires [79], les modes sont des catégories qui relèvent de la linguistique, ou plus exactement de ce que
l'on appelle aujourd'hui la *pragmatique*. « Formes naturelles »,
donc, en ce sens tout relatif, et dans la mesure où la langue et
son usage apparaissent comme un donné de nature face à
l'élaboration consciente et délibérée des formes esthétiques.
Mais la triade romantique et ses dérivés ultérieurs ne se situent
plus sur ce terrain : lyrique, épique, dramatique s'y opposent
aux *Dichtarten* non plus comme des modes d'énonciation
verbale antérieurs et extérieurs à toute définition littéraire, mais
plutôt comme des sortes d'*archigenres*. *Archi-*, parce que chacun
d'eux est censé surplomber et contenir, hiérarchiquement, un
certain nombre de genres empiriques, lesquels sont de toute
évidence, et quelle que soit leur amplitude, longévité ou
capacité de récurrence, des faits de culture et d'histoire ; mais
encore (ou déjà) *-genres*, parce que leurs critères de définition
comportent toujours, nous l'avons vu, un élément thématique
qui échappe à une description purement formelle ou linguistique. Ce double statut ne leur est pas propre, car un « genre »
comme le roman ou la comédie peut lui aussi se subdiviser en
« espèces » plus déterminées — roman de chevalerie, roman
picaresque, etc. ; comédie de caractères, farce, vaudeville, etc.

---

79. Pour être plus précis, il faudrait sans doute écrire : proprement
esthétiques, puisque, comme on le sait, le fait de genre est commun à
tous les arts ; « proprement littéraires » signifie donc ici : propres au
niveau esthétique de la littérature, qu'elle partage avec les autres arts,
comme opposé à son niveau linguistique, qu'elle partage avec les autres
types de discours.

— sans qu'aucune limite soit *a priori* fixée à cette série d'inclusions : chacun sait par exemple que l'espèce *roman policier* peut à son tour être subdivisée en diverses variétés (énigme policière, thriller, policier « réaliste » à la Simenon, etc.), qu'un peu d'ingéniosité peut toujours multiplier les instances entre l'espèce et l'individu, et que nul ne peut assigner ici de terme à la prolifération des espèces : le roman d'espionnage aurait été, je suppose, parfaitement imprévisible pour un poéticien du XVIII$^e$ siècle, et bien d'autres espèces à venir nous sont aujourd'hui encore inimaginables. Bref, tout genre peut toujours contenir plusieurs genres, et les archigenres de la triade romantique ne se distinguent en cela par aucun privilège de nature. Tout au plus peut-on les décrire comme les dernières — les plus vastes — instances de la classification alors en usage : mais l'exemple de Käte Hamburger montre qu'une nouvelle réduction n'est pas *a priori* exclue (et il n'y aurait rien de déraisonnable, au contraire, à envisager une fusion, inverse de la sienne, entre lyrique et épique, laissant à part le seul dramatique, en tant que seule forme à énonciation rigoureusement « objective ») ; et celui de W. V. Ruttkowski [80] que l'on peut toujours, et tout aussi raisonnablement, proposer une autre instance suprême, en l'occurrence le *didactique*. Et ainsi de suite. Dans la classification des espèces littéraires comme dans l'autre, aucune instance n'est par essence plus « naturelle » ou plus « idéale » — sauf à sortir des critères littéraires eux-mêmes, comme le faisaient implicitement les Anciens avec l'instance modale. Il n'y a pas de niveau générique qui puisse être décrété plus « théorique », ou qui puisse être atteint par une méthode plus « déductive » que les autres : toutes les espèces, tous les sous-genres, genres ou super-genres sont des classes empiriques, établies par observation du donné historique, ou à la limite par extrapolation à partir de ce donné, c'est-à-dire par un mouvement déductif superposé à un premier mouvement toujours inductif et analytique, comme on le voit

80. *Op. cit.,* chap. VI, « Schlussforgerungen : eine modifizierte Gattungspoetik ».

bien sur les tableaux (explicites ou virtuels) d'Aristote et de
Frye, où l'existence d'une case vide (récit comique, intellectuel-
extraverti) aide à découvrir un genre (« parodie », « anatomie ») autrement voué à l'imperceptibilité. Les grands « types »
idéaux que l'on oppose si souvent [81], depuis Goethe, aux petites
formes et moyens genres ne sont rien d'autre que des classes
plus vastes et moins spécifiées, dont l'extension culturelle a
quelque chances d'être, de ce fait, plus grande, mais dont le
principe n'est ni plus ni moins anhistorique : le « type épique »
n'est ni plus idéal ni plus naturel que les genres « roman » et
« épopée » qu'il est censé englober — à moins qu'on ne le
définisse comme l'ensemble des genres essentiellement *narratifs,* ce qui nous ramène aussitôt à la division des modes : car le
récit, lui, comme le dialogue dramatique, est une attitude
fondamentale d'énonciation, ce qu'on ne peut dire ni de
l'épique, ni du dramatique, ni bien sûr du lyrique au sens
romantique de ces termes.

En rappelant ces évidences souvent méconnues, je ne pré-
tends nullement dénier aux genres littéraires toute espèce de
fondement « naturel » et transhistorique : je considère au

---

81. Sous ce terme (Lämmert, Todorov in *Dictionnaire...*), ou selon
tel autre couple terminologique : *kind / genre* (Warren), *mode / genre*
(Scholes), *genre théorique / genre historique* (Todorov in *Introduction à
la littérature fantastique,* Éd. du Seuil, 1970), *attitude fondamentale /
genre* (Viëtor), *genre fondamental,* ou *type fondamental / genre* (Petersen) ; ou encore, avec quelques nuances, *forme simple / forme actuelle*
chez Jolles. La position actuelle de Todorov est plus proche de celle que
je défends ici : « Par le passé, on a pu chercher à distinguer, voire à
opposer, les formes " naturelles " de la poésie (par exemple, le lyrique,
l'épique, le dramatique) et ses formes conventionnelles, tels le sonnet, la
ballade ou l'ode. Il faut essayer de voir sur quel plan une telle
affirmation garde un sens. Ou bien le lyrique, l'épique, etc. sont des
catégories universelles, *donc du discours* [...]. Ou bien c'est à des
phénomènes historiques qu'on pense en employant de tels termes ; ainsi
l'épopée est ce qu'incarne l'*Iliade* d'Homère. Dans ce cas, il s'agit bien
de genres ; mais sur le plan discursif ceux-ci ne sont pas qualitativement
différents d'un genre comme le sonnet — reposant, lui aussi, sur des
contraintes thématiques, verbales, etc. » (« L'origine des genres »
(1976), *les Genres du discours,* Éd. du Seuil, 1978, p. 50).

contraire comme une autre évidence (vague) la présence d'une attitude existentielle, d'une « structure anthropologique » (Durand), d'une disposition mentale » (Jolles), d'un « schème imaginatif » (Mauron), ou, comme on dit un peu plus couramment, d'un « sentiment » proprement épique, lyrique, dramatique — mais aussi bien tragique, comique, élégiaque, fantastique, romanesque, etc., dont la nature, l'origine, la permanence et la relation à l'histoire restent (entre autres) à étudier [82] car, en tant que concepts génériques, les trois termes de la triade traditionnelle ne méritent aucun rang hiérarchique particulier : *épique,* par exemple, ne surplombe *épopée*, *roman*, *nouvelle*, *contes*, etc., que si on l'entend comme mode (= narratif) ; si on l'entend comme genre (= épopée) et qu'on lui donne, comme fait Hegel, un contenu thématique spécifique, alors il ne *contient* plus le romanesque, le fantastique, etc., il se retrouve au même niveau ; de même pour le dramatique à l'égard du tragique, du comique, etc., et pour le lyrique à l'égard de l'élégiaque, du satirique, etc. [83]. Je nie seulement qu'une ultime instance générique, et elle seule, se laisse définir en termes exclusifs de toute historicité : à quelque niveau de généralité que l'on se place, le fait générique mêle inextricablement, entre autres, le

---

82. Le problème de la relation entre les archétypes intemporels et la thématique historique se pose (je ne dis pas : se résout) de lui-même à la lecture d'ouvrages comme *le Décor mythique* de G. Durand, analyse anthropologique d'un romanesque apparemment né avec l'Arioste, ou la *Psychocritique du genre comique* de Ch. Mauron, lecture psychanalytique d'un genre né avec Ménandre et la comédie nouvelle — Aristophane et la comédie ancienne, par exemple, ne relevant pas exactement du même « schème imaginatif ».

83. La terminologie, en l'occurrence, reflète et aggrave la confusion théorique : à *drame* et *épopée* (entendus comme genres spécifiques), nous ne pouvons opposer en français qu'un flasque *poème lyrique* ; *épique* au sens modal n'est pas vraiment idiomatique, et nul ne s'en plaindra : c'est un germanisme qu'il n'y a aucun avantage à accréditer ; quant à *dramatique*, il désigne vraiment, et malheureusement, les deux concepts, le générique (= propre au drame) et le modal (= propre au théâtre) ; si bien qu'on ne peut rien aligner, au niveau modal, en paradigme avec *narratif* (le seul univoque) : *dramatique* reste ambigu, et le troisième terme manque absolument.

fait de nature et le fait de culture. Que les proportions et le type
de relation même puissent varier, c'est encore une évidence,
mais aucune instance n'est totalement donnée par la nature ou
par l'esprit — comme aucune n'est totalement déterminée par
l'histoire.

On propose parfois (ainsi Lämmert dans ses *Bauformen des
Erzählens*) une définition plus empirique, et toute relative, des
« types » idéaux : il s'agirait seulement des formes génériques
*les plus constantes*. De telles différences de degré — par
exemple entre la comédie et le vaudeville, ou entre le roman en
général et le roman gothique — ne sont pas contestables, et il va
de soi que la plus grande extension historique a partie liée avec
la plus grande extension conceptuelle. Mais il faut cependant
manier avec prudence l'argument de la durée : la longévité des
formes classiques (épopée, tragédie) n'est pas un sûr indice de
transhistoricité, car il faut ici tenir compte du conservatisme de
la tradition classique, capable de maintenir debout pendant
plusieurs siècles des formes momifiées. En face de telles
permanences, les formes postclassiques (ou para-classiques)
pâtissent d'une usure historique qui est moins leur fait que celui
d'un autre rythme historique. Un critère plus significatif serait la
capacité de dispersion (dans des cultures diverses) et de
récurrence spontanée (sans l'adjuvant d'une tradition, d'un
*revival* ou d'une mode « rétro ») : ainsi, peut-être, pourrait-on
considérer, à l'inverse de la résurrection laborieuse de l'épopée
classique au XVIIe siècle, le retour apparemment spontané de
l'épique dans les premières chansons de geste. Mais on mesure
vite, devant de tels sujets, l'insuffisance non seulement de nos
connaissances historiques, mais encore et plus fondamentalement de nos ressources théoriques : dans quelle mesure, de
quelle manière et en quel sens, par exemple, l'espèce chanson
de geste appartient-elle au genre épique ? Ou encore : comment
définir l'épique en dehors de toute référence au modèle et à la
tradition homériques[84] ?

84. Cf. D. Poirion, « Chanson de geste ou épopée ? Remarques sur la
définition d'un genre », *Travaux de linguistique et de littérature*, Strasbourg, 1972.

On voit donc ici en quoi consiste l'inconvénient théorique d'une attribution fallacieuse qui pouvait d'abord apparaître comme un simple lapsus historique sans importance, sinon sans signification : c'est qu'elle projette le privilège de naturalité qui était *légitimement* (« il n'y a et il ne peut y avoir que trois façons de représenter par le langage des actions, etc. ») celui des trois modes *narration pure/narration mixte/imitation dramatique* sur la triade de genres, ou d'archigenres, *lyrisme/épopée/drame* : « il n'y a et il ne peut y avoir que trois attitudes poétiques fondamentales, etc. ». En jouant subrepticement (et incons- ciemment) sur les deux tableaux de la définition modale et de la définition générique [85], elle constitue ces archigenres en types idéaux ou naturels, qu'ils ne sont pas et ne peuvent être : il n'y a pas d'archigenres qui échapperaient totalement à l'historicité *tout en conservant une définition générique* [86]. Il y a des modes,

85. Le seul, ou presque, poéticien moderne qui maintienne (à sa manière) la distinction entre modes et genres est à ma connaissance N. Frye. Encore baptise-t-il (en anglais) *modes* ce que l'on appelle ordinairement genres (mythe, romance, mimésis, ironie), et *genres* ce que je voudrais appeler modes (dramatique, narratif oral ou *épos,* narratif écrit ou *fiction,* chanté pour soi ou *lyrique*). C'est cette dernière division, et elle seule, qui s'appuie chez lui — explicitement — sur Aristote et Platon, et qui se donne pour critère la « forme de présentation », c'est-à-dire de communication avec le public (voir trad. fr., p. 299-305, et particulièrement p. 300). C. Guillen (*op. cit.,* p. 386- 388) distingue quant à lui trois sortes de classes : les genres proprement dits, les formes métriques, et (se référant à Frye avec une heureuse substitution de termes) les « *modes* de présentation, comme le *narratif* et le *dramatique* ». Il ajoute toutefois, non sans raison, que, contraire- ment à Frye, il ne croit pas « que ces modes constituent le principe fondamental de toute différenciation générique, et que les genres spécifiques soient des formes ou des exemples de ces modes ».

86. Cette clause soulignée est sans doute le seul point sur lequel je me sépare de la critique adressée par Ph. Lejeune à la notion de « type » (*Le Pacte autobiographique,* Éd. du Seuil, 1975, p. 326-334). Je pense comme Lejeune que le type est « une projection idéalisée » (je dirais plus volontiers : « naturalisée ») du genre. Je crois pourtant comme Todorov qu'il existe disons des formes à priori de l'expression littéraire.

exemple : le récit ; il y a des genres, exemple : le roman ; la relation des genres aux modes est complexe, et sans doute n'est-elle pas, comme le suggère Aristote, de simple inclusion. Les genres peuvent traverser les modes (Œdipe raconté reste tragique), peut-être comme les œuvres traversent les genres — peut-être différemment : mais nous savons bien qu'un roman n'est pas seulement un récit, et donc qu'il n'est pas une espèce du récit, ni même une espèce de récit. Nous ne savons même que cela, dans ce domaine, et sans doute est-ce encore trop. La poétique est une très vieille et très jeune « science » : le peu qu'elle « sait », peut-être aurait-elle parfois intérêt à l'oublier. En un sens, c'est tout ce que je voulais dire — et cela aussi, bien sûr, est encore trop.

## X

Ce qui précède est, à quelques retouches et additions près, le texte d'un article publié dans *Poétique,* en novembre 1977, sous le titre « Genres, " types ", modes ». Comme me le fit aussitôt observer Philippe Lejeune, la conclusion en était excessivement désinvolte, ou figurée : s'il faut (mais faut-il ?) parler littéralement, la poétique n'a pas à « oublier » ses erreurs passées (ou présentes) mais, bien sûr, à les mieux connaître pour éviter d'y retomber. Dans la mesure où l'attribution à Platon et Aristote de la théorie des « trois genres fondamentaux » est une erreur historique qui cautionne et valorise une confusion théorique, je

---

Mais ces formes a priori, je ne les trouve que dans les modes, qui sont des catégories linguistiques et prélittéraires. Sans parler, bien entendu, des contenus investis, eux aussi largement extralittéraires et transhistoriques. Je dis « largement », et non « totalement » : j'accorde sans réserve à Lejeune que l'autobiographie est, comme tous les genres, un fait historique, mais je maintiens que ses investissements ne le sont pas intégralement, et que la « conscience bourgeoise » n'y explique pas tout.

pense évidemment qu'il lui faut à la fois s'en débarrasser et garder à l'esprit, pour leçon, ce (trop) significatif accident de parcours.

Mais, d'autre part, cette conclusion évasive masquait, mal et sans trop le savoir, un embarras théorique que je tenterai maintenant de ressaisir par ce détail : « sans doute, disais-je (la relation des genres aux modes) n'est-elle pas, comme le suggère Aristote, de simple inclusion, etc. ». « Comme le suggère Aristote » est, je m'en avise, équivoque : Aristote suggère-t-il qu'elle l'est ou qu'elle ne l'est pas ? Il me semblait alors qu'il disait qu'elle l'est, mais je n'en étais sans doute pas trop sûr, d'où le prudent « suggère » et la construction ambiguë. Qu'en est-il donc en fait, ou que m'en semble-t-il aujourd'hui ?

Que chez Aristote, et contrairement à ce qui se passe chez la plupart des poéticiens ultérieurs, classiques ou modernes, la relation entre la catégorie du genre et celle de ce que j'appelle en son nom le « mode » (le terme de « genre » lui-même, après tout, n'est pas dans la *Poétique*) n'est pas de *simple inclusion,* ou plus précisément n'est pas de *simple* inclusion. Il y a et il n'y a pas inclusion, ou plutôt il y a (au moins) *double* inclusion, c'est-à-dire intersection. Comme le manifeste bien — de cela aussi je m'avise après coup — le tableau ici présent[87] et construit d'après le texte de la *Poétique,* la catégorie du genre (soit la tragédie) est incluse à la fois dans celle du mode (dramatique) et dans celle de l'objet (supérieur), dont elle relève à un autre titre, mais au même degré. La différence structurale entre le système d'Aristote et celui des théories romantiques et modernes, c'est que ces dernières se ramènent généralement à un schéma d'inclusions univoques et hiérarchisées (les œuvres dans les espèces, les espèces dans les genres, les genres dans les « types »), tandis que le système aristotélicien — si rudimentaire soit-il par ailleurs — est implicitement tabulaire, suppose implicitement un tableau à (au moins) double entrée, où chaque genre relève à la fois (au moins) d'une catégorie modale et d'une catégorie thématique : la tragédie, par exemple, est (à ce

87. P. 100.

niveau) définie à la fois comme cette-sorte-d'œuvres-à-sujet-noble-que-l'on-représente-à-la-scène, et comme cette-sorte-d'œuvres-représentées-à-la-scène-dont-le-sujet-est-noble, l'épopée à la fois comme une action-héroïque-racontée et comme le-récit-d'une-action-héroïque, etc. Les catégories modales et thématiques n'ont entre elles aucune relation de dépendance, le mode n'inclut ni n'implique le thème, le thème n'inclut ni n'implique le mode, et il doit aller de soi que la présentation spatiale du tableau pourrait être inversée, avec les objets en abscisse et les modes en ordonnée ; mais les modes et les thèmes, en se croisant, co-incluent et déterminent les genres.

Or, il me semble aujourd'hui qu'*à tout prendre* et *s'il faut* (faut-il ?) *un système,* et malgré son exclusion, aujourd'hui injustifiable, des genres non représentatifs, celui d'Aristote (une fois encore, *torniamo all' antico...*) est *dans sa structure* plutôt supérieur (c'est-à-dire, évidemment, plus efficace) à la plupart de ceux qui l'ont suivi, et que vicie fondamentalement leur taxinomie inclusive et hiérarchique, laquelle à chaque fois bloque d'emblée tout le jeu et le conduit à une impasse.

J'en trouve un nouvel exemple dans l'ouvrage récent de Klaus Hempfer, *Gattungstheorie*[88], qui se veut une mise au point synthétique des principales théories existantes. Sous le titre à la fois modeste et ambitieux de « terminologie systématique », Hempfer propose un système implicitement hiérarchisé dont les classes inclusives seraient, de la plus vaste à la plus restreinte, les « modes d'écriture » (*Schreibweisen*), fondés sur des situations d'énonciation (ce sont nos *modes,* exemple : narratif *vs* dramatique) ; les « types » (*Typen*), qui sont des spécifications des modes : par exemple, au sein du mode narratif, narration « à la première personne » (homodiégétique) *vs* narration « auctoriale » (hétérodiégétique) ; les « genres » (*Gattungen*),

88. Munich, W. Fink, 1973, p. 26-27.

qui sont les réalisations concrètes historiques (roman, nouvelle, épopée, etc.) ; et les « sous-genres » (*Untergattungen*), qui sont des spécifications plus étroites à l'intérieur des genres, comme le roman picaresque au sein du genre roman.

Ce système est à première vue séduisant (pour qui se laisse séduire à ce genre de choses), d'abord parce qu'il pose au sommet de la pyramide la catégorie du mode, à mes yeux la plus indéniablement universelle en tant qu'elle est fondée sur le fait, transhistorique et translinguistique, des situations pragmatiques. Ensuite, parce que la catégorie du *type* fait ici légitimement droit à des spécifications submodales telles que l'étude des formes narratives en a dégagé depuis un siècle : si le mode narratif est une catégorie transgénérique légitime, il paraît évident qu'une théorie d'ensemble des genres doit intégrer les spécifications submodales de la narratologie, et il en va naturellemment de même des éventuelles spécifications du mode dramatique. De même, on ne peut contester (et je l'ai déjà reconnu) qu'une catégorie générique comme le roman se laisse subdiviser en spécifications moins extensives et plus compréhensives telles que roman picaresque, sentimental, policier, etc. Autrement dit, la catégorie du mode et celle du genre appellent inévitablement, chacune pour son compte, leurs subdivisions, et rien évidemment n'interdit de les baptiser respectivement « types » et « sous-genres » (encore que le terme de *type* ne se recommande guère ni par sa transparence ni par sa congruence paradigmatique : *sous-mode* serait à la fois plus clair et plus « systématique », c'est-à-dire en l'occurrence symétrique).

Mais où le bât blesse, on le voit bien, c'est lorsqu'il s'agit d'articuler en inclusion la catégorie du genre à celle du « type ». Car si le mode narratif inclut d'une certaine manière, par exemple le genre roman, il est impossible de subordonner le roman à une spécification particulière du mode narratif : si l'on subdivise le narratif en narration homodiégétique et hétérodiégétique, il est clair que le genre roman ne peut entrer entier dans aucun de ces deux types, puisqu'il existe des romans « à la première personne » et des romans « à la troisième personne »[89]. Bref, si le « type » est un sous-mode, le genre n'est pas un sous-type, et la chaîne d'inclusions se brise là.

Mais cette *systematische Terminologie* fait encore difficulté sur un autre point, que j'ai évité jusqu'ici de mentionner : la catégorie suprême des *Schreibweisen* n'est pas aussi homogène (purement modale) que je l'ai laissé entendre, car elle comporte d'autres « constantes anhistoriques » que les modes narratif et dramatique ; Hempfer en mentionne à vrai dire une seule, mais dont la présence suffit à déséquilibrer toute la classe : le mode « satirique », dont la détermination est évidemment d'ordre thématique — plus proche de la catégorie aristotélicienne des objets que de celle des modes.

Cette critique, je m'empresse de le préciser, ne vise que l'incohérence taxinomique d'une classe baptisée « modes d'écriture », et où l'on semble, en fait, disposé à embarquer indistinctement toutes les « constantes », de quelque ordre qu'elles soient. Comme je l'ai déjà indiqué, j'admets en effet l'existence, au moins relative, de constantes « anhistoriques », ou plutôt transhistoriques, non seulement du côté des modes d'énonciation, mais aussi de quelques grandes catégories thématiques telles que l'héroïque, le sentimental, le comique, etc., dont le recensement éventuel ne ferait peut-être que diversifier et nuancer, à la manière des « modes » selon Frye, ou autrement, l'opposition rudimentaire posée par Aristote entre « objets » supérieurs, égaux et inférieurs, sans nécessairement compromettre pour l'instant le principe d'un tableau des genres fondé sur l'intersection de catégories modales et thématiques, simplement plus nombreuses de part et d'autre que ne les voyait Aristote : les thématiques, à l'évidence — et je rappelle que l'essentiel de la *Poétique* se consacre à une description plus spécifiée du sujet tragique, qui laisse implicitement subsister

89. Observons au passage que ces spécifications « formelles », c'est-à-dire (sub)modales, n'ont pas communément le statut de sous-genres, ou d'espèces, comme les romans picaresque, sentimental, etc. évoqués plus haut. Les catégories proprement (sub)génériques sont apparemment toujours liées à des spécifications thématiques. Mais il faudrait aller y voir de plus près.

hors de sa définition des formes moins « éminemment tragiques » du drame sérieux — ; les modales, au moins parce qu'il
faudrait faire sa place au mode non représentatif (ni narratif ni
dramatique) de l'expression directe[90], et aussi sans doute pour
diversifier les modes en ces sous-modes reconnus par Hempfer :
il y a plusieurs « types » de récit, plusieurs « types » de
représentation dramatique, etc.

On pourrait donc envisager une grille de type aristotélicien,
mais beaucoup plus complexe que celle d'Aristote, où $n$ classes
thématiques recoupées par $p$ classes modales et submodales
détermineraient un nombre considérable (c'est-à-dire $np$, ni
plus ni moins) de genres existants ou possibles. Mais rien ne
permet a priori de limiter à deux le nombre de ces listes de
paramètres, et donc de sauvegarder le principe du tableau à
deux dimensions : lorsque Fielding, dans un esprit encore très
aristotélicien, définit *Joseph Andrews* (et, d'avance, *Tom Jones*
et quelques autres) comme une « épopée comique en prose »,
même si l'on peut ramener sans trop de peine le terme *épopée
comique* à la quatrième case aristotélicienne, la spécification
« en prose » introduit inévitablement un troisième axe de
paramètres qui déborde et invalide le modèle de la grille
tabulaire, car l'opposition *en prose/en vers* n'est pas propre au
mode narratif (comme l'opposition *homo-/hétérodiégétique*),
mais traverse aussi le mode dramatique : il existe, au moins
depuis Molière, des comédies, et, au moins depuis l'*Axiane* de
Scudéry, des tragédies en prose. Il y faudrait donc un volume à
trois dimensions — dont la troisième, je le rappelle, avait été
implicitement prévue par Aristote sous la forme de la question
« en quoi ? » qui détermine le choix des « moyens » formels (en
quelle langue, en quels vers, etc.) de l'imitation. Je suis assez
enclin à penser que peut-être, par une heureuse infirmité de

90. Il y a bien toujours une difficulté, ou gaucherie à introduire dans
un paradigme des modes de représentation un mode non représentatif.
C'est un peu l'histoire de cet embarras que j'ai esquissée dans ce qui
précède, et dont je risque fort d'ouvrir ici un nouveau chapitre. A moins
que le mode non représentatif ne puisse entrer dans le système en tant
que degré zéro ?

l'esprit humain, les grands paramètres concevables du système générique se ramènent à ces trois sortes de « constantes » : thématiques, modales et formelles, et qu'une espèce de cube translucide, sans doute moins maniable — et moins gracieux — que la rosace de Petersen, donnerait au moins pendant quelque temps l'illusion d'y faire face et d'en rendre compte. Mais je n'en suis pas assez certain, et j'ai trop longtemps manié, fût-ce avec des pincettes, les divers schémas et projections de mes ingénieux prédécesseurs pour entrer à mon tour dans ce jeu dangereux. Il nous suffira donc pour l'instant de poser qu'un certain nombre de déterminations thématiques, modales et formelles *relativement constantes et transhistoriques* (c'est-à-dire d'un rythme de variance sensiblement plus lent que ceux dont l'Histoire — « littéraire » et « générale » — a ordinairement à connaître) dessinent en quelque sorte le paysage où s'inscrit l'évolution du champ littéraire, et, dans une large mesure, déterminent quelque chose comme la réserve de virtualités génériques dans laquelle cette évolution fait son choix — non parfois sans surprises, bien sûr, répétitions, caprices, mutations brusques ou créations imprévisibles.

Je sais bien qu'une telle vision de l'Histoire peut sembler une mauvaise caricature de cauchemar structuraliste, faisant bon marché de ce qui précisément rend l'Histoire irréductible à ce genre de tableaux, savoir le cumulatif et l'irréversible — le seul fait, par exemple, de la *mémoire générique* (la *Jérusalem délivrée* se souvient de l'*Énéide,* qui se souvient de l'*Odyssée,* qui se souvient de l'*Iliade*), qui n'incite pas seulement à l'imitation, et donc à l'immobilisme, mais aussi à la différenciation — on ne peut évidemment pas *répéter* ce que l'on imite —, et donc à un minimum d'évolution. Mais d'un autre côté je persiste à penser que le relativisme absolu est un sous-marin à voiles, que l'historicisme tue l'Histoire, et que l'étude des transformations implique l'examen, et donc la prise en considération, des permanences. Le parcours historique n'est évidemment pas déterminé, mais il est en grande partie balisé par le tableau combinatoire : avant l'âge bourgeois, pas de drame bourgeois possible ; mais, nous l'avons vu, le drame bourgeois se laisse suffisamment définir comme le symétrique inverse de la comédie héroïque. Et j'observe encore que Philippe Lejeune, qui voit, sans doute à juste titre, dans l'autobiographie un genre relativement récent, la définit en des termes (« récit rétrospectif en prose qu'une personne fait de sa propre existence, lorsqu'elle met l'accent sur sa vie individuelle, en particulier sur l'histoire de sa personnalité ») où n'intervient aucune détermination historique : l'autobiographie n'est sans doute possible qu'à l'époque moderne, mais sa définition, combinatoire de traits thématiques (devenir d'une individualité réelle), modaux (narration autodiégétique rétrospective) et formels (en prose), est typiquement aristotélicienne, et rigoureusement intemporelle [91].

## XI

— Reste, me dira-t-on, que ce rapprochement cavalier est lui aussi tout rétrospectif, et que si Lejeune peut rappeler Aristote, Aristote n'annonce pas Lejeune, et n'a jamais défini l'autobiographie.

— J'en conviens, mais nous avons déjà observé qu'il avait, quelques siècles avant Fielding, sans le savoir et à un détail près (la prose), défini le roman moderne, de Sorel à Joyce : « récit bas » — a-t-on trouvé beaucoup mieux depuis ?

— Bref, progrès en poétique assez lents. Peut-être vaudrait-il mieux renoncer à une entreprise aussi marginale (au sens économique), et laisser aux historiens de la littérature, à qui elle

---

91. L'historicité, bien sûr, s'y introduit dès que l'on pose que les notions de devenir et d'individualité sont inconcevables avant le XVIIᵉ siècle ; mais cette (hypo)thèse reste extérieure à la définition proprement dite. — A vrai dire, je ne suis pas certain d'avoir choisi avec l'autobiographie l'exemple le plus difficile : on aurait sans doute plus de peine à imaginer Aristote définissant le western, le *space opera*, ou même, comme le notait déjà Cervantes, le roman de chevalerie. Certaines spécifications thématiques portent inévitablement la marque de leur *terminus a quo*.

revient de toute évidence, l'étude empirique des genres, ou peut-être des sous-genres, comme institutions socio-historiques : l'élégie romaine, la chanson de geste, le roman picaresque, la comédie larmoyante, etc.

— Ce serait une assez bonne défaite, et apparemment une bonne affaire pour tout le monde, encore que tous les articles cités ne soient pas précisément de première main. Mais je doute que l'on puisse très facilement, ou très pertinemment, écrire l'histoire d'une institution que l'on n'aurait pas préalablement définie : dans *roman picaresque* il y a *roman,* et supposé que le *picaro* soit une donnée sociale d'époque dont la littérature ne serait nullement responsable (c'est une supposition un peu grosse), reste à définir cette espèce par le genre proche, le genre lui-même par autre chose, et nous (re)voici en pleine poétique : qu'est-ce que le roman ?

— Question oiseuse. Ce qui compte, c'est *ce* roman, et n'oubliez pas que le démonstratif dispense de définition. Occupons-nous de ce qui existe, c'est-à-dire des œuvres singulières. Faisons de la critique, la critique se passe fort bien des universaux.

— Elle s'en passe fort mal, puisqu'elle y recourt sans le savoir et sans les connaître, et au moment même où elle prétend s'en passer : vous avez dit « *ce roman* ».

— Disons « ce *texte* », et n'en parlons plus.

— Je ne suis pas sûr que vous ayez gagné au change. Dans le meilleur des cas, vous tombez de poétique en phénoménologie : qu'est-ce qu'*un* texte ?

— Je ne m'en soucie guère : je puis toujours, *whatever it is*, m'y enfermer et le commenter à ma guise.

— Vous vous enfermez donc dans un genre.

— Quel genre ?

— Le commentaire de texte, parbleu, et même, plus précisément, le commentaire-de-texte-qui-ne-se-soucie-pas-de-genres : c'est un sous-genre. Franchement, votre discours m'intéresse.

— Le vôtre m'intéresse aussi. J'aimerais savoir d'où vient cette rage de *sortir* : du texte par le genre, du genre par le mode, du mode…

— Par le texte, à l'occasion et pour changer, ou, second degré, sortir de la sortie. Mais il est de fait que *pour l'instant* le texte (ne) m'intéresse (que) par sa *transcendance textuelle*, savoir tout ce qui le met en relation, manifeste ou secrète, avec d'autres textes. J'appelle cela la *transtextualité*, et j'y englobe l'*intertextualité* au sens strict (et « classique », depuis Julia Kristeva), c'est-à-dire la présence littérale (plus ou moins littérale, intégrale ou non) d'un texte dans un autre : la citation, c'est-à-dire la convocation explicite d'un texte à la fois présenté et distancié par des guillemets, est l'exemple le plus évident de ce type de fonctions, qui en comporte bien d'autres. J'y mets aussi, sous le terme, qui s'impose (sur le modèle *langage/ métalangage*), de *métatextualité*, la relation transtextuelle qui unit un commentaire au texte qu'il commente : tous les critiques littéraires, depuis des siècles, produisent du métatexte sans le savoir.

— Ils le sauront dès demain : révélation bouleversante, inestimable promotion. Je vous remercie en leur nom.

— Ce n'est rien, simple retombée, et vous savez combien j'aime obliger à peu de frais. Mais laissez-moi terminer : j'y mets encore d'autres sortes de relations — pour l'essentiel, je pense, d'imitation et de transformation, dont le pastiche et la parodie peuvent donner une idée, ou plutôt deux idées, fort différentes quoique trop souvent confondues, ou inexactement distinguées — que je baptiserai faute de mieux *paratextualité* (mais c'est aussi pour moi la transtextualité par excellence), et dont nous nous occuperons peut-être un jour, si le hasard fait que la Providence y consente. J'y mets enfin (sauf omission) cette relation d'inclusion qui unit chaque texte aux divers types de discours auxquels il ressortit. Ici viennent les genres, et leurs déterminations déjà entrevues : thématiques, modales, formelles, et autres (?). Appelons cela, comme il va de soi, l'*architexte*, et *architextualité*, ou simplement *architexture*...

— Vous avez la simplicité un peu lourde. Les plaisanteries sur le mot *texte* forment un genre qui me paraît bien fatigué.

— Je vous l'accorde. Aussi proposerais-je volontiers que celle-ci fût la dernière.

— J'eusse préféré...

— Moi aussi, mais, que voulez-vous, on ne se refait pas, et
tout bien réfléchi je ne promets rien. Appelons donc *architextualité* la relation du texte à son architexte [92]. Cette transcen-
dance-là est omniprésente, quoi qu'aient pu dire Croce et autres
sur l'invalidité du point de vue générique en littérature, et
ailleurs : de cette objection, on peut se défaire en rappelant
qu'un certain nombre d'œuvres, depuis l'*Iliade,* se sont soumises
d'elles-mêmes à ce point de vue, qu'un certain nombre d'autres,
comme la *Divine Comédie,* s'y sont d'abord soustraites, que la
seule opposition de ces deux groupes esquisse un système des
genres — on pourrait dire plus simplement que le mélange ou le
mépris des genres est un genre parmi d'autres —, et que cette
esquisse fort rustique, nul ne peut y échapper, et nul ne peut
s'en satisfaire : c'est donc le doigt dans l'engrenage.

— Je vous laisse l'y mettre.

— Vous avez tort : c'est *mon* engrenage, et c'est *votre* doigt.
L'architexte est donc omniprésent, au-dessus, au-dessous,
autour du texte, qui ne tisse sa toile qu'en l'accrochant, ici et là,
à ce réseau d'architexture. Ce qu'on appelle théorie des genres,
ou *génologie* (Van Tieghem), théorie des modes (je propose
*modistique* ; la *narratique,* ou *narratologie,* théorie du récit, en
fait partie), théorie des figures — non, ce n'est pas la rhétorique, ou théorie des discours, qui surplombe de très haut tout
cela ; *figuratique* m'est resté naguère sur les bras ; que diriez-
vous de *figurologie* ?

— ...

— Je ne vous le fais pas dire — théorie des styles, ou
*stylistique transcendante...*

— Pourquoi transcendante ?

— Pour faire chic, et pour l'opposer à la critique stylistique à
la Spitzer, qui se veut le plus souvent immanente au texte ;
théorie des formes, ou *morphologie* (un peu délaissée aujour-

---

92. Le terme *architexture* et l'adjectif *architextuel* ont été utilisés par
Mary-Ann Caws, « Le passage du poème », *CAIEF,* mai 1978, dans une
tout autre acception, qui m'échappe.

d'hui, mais cela pourrait changer ; elle comprend, entre autres, la *métrique*, entendue, propose Mazeleyrat, comme l'étude générale des formes poétiques), théorie des thèmes, ou *thématique* (dont la critique ainsi qualifiée ne serait qu'une application aux œuvres singulières), toutes ces disciplines...

— Je n'aime pas trop cette notion.

— Nous voilà donc un point commun. Mais une « discipline » (mettons-y des guillemets contestataires) n'est pas, ou du moins ne doit pas être, une institution, mais seulement un instrument, un moyen transitoire, vite aboli dans sa fin, laquelle peut fort bien n'être qu'un autre moyen (une autre « discipline »), qui à son tour... et ainsi de suite : le tout est d'avancer. Nous en avons déjà usé quelques-unes, dont je vous épargne la nécrologie.

— Un service en vaut un autre : vous n'aviez pas fini votre phrase.

— Je comptais m'en dispenser, mais rien ne vous échappe. Toutes ces « disciplines », donc, et quelques autres qui restent à inventer et à casser à leur tour — le tout formant et réformant sans cesse la poétique, dont l'objet, posons-le fermement, *n'est pas le texte, mais l'architexte* —, peuvent servir, faute de mieux, à explorer cette transcendance architextuelle, ou architexturale. Ou plus modestement à y naviguer. Ou, plus modestement encore, à y flotter, quelque part au-delà du texte.

— Vous avez maintenant la modestie aventureuse : flotter sur une transcendance à bord d'une « discipline » vouée à la casse (ou à la réforme)... Monsieur le poéticien, je vous vois mal parti.

— Mon cher Frédéric, ai-je dit que je partais ?

Wolf Dieter Stempel

# Aspects génériques
# de la réception *

On sait que la linguistique structurale, pour se constituer comme telle, a pris pour objet quasi exclusif de ses analyses la « langue » en tant que système. La logique de ce choix, qui paraissait en effet avoir pour lui la force de l'évidence, impliquait qu'on mît en doute le bien-fondé d'une étude linguistique de la « parole ». Et pourtant, il y a eu ici et là de remarquables tentatives de concevoir une linguistique de la parole : si l'avènement de la grammaire générative, dans un premier temps, n'a fait que confirmer, voire consolider le choix de l'école structurale, ce qu'on appelle parfois une « théorie de la performance » est devenu de nos jours un vaste programme de recherches, programme dont la réalisation est loin de réunir les efforts de tous les linguistes, puisqu'elle comporte comme conséquence (« fatale » dans la perspective des uns, mais nécesaire dans celle des autres) la mise en cause de l'identité de la linguistique elle-même.

En analyse littéraire, ce n'est pas exactement le contraire qui s'est produit, mais il est évident que toute tentative de dépasser le niveau privilégié de la manifestation d'un texte individuel pour connaître les règles de sa constitution supposait, en principe, une réflexion sur le statut de la structure susceptible de

* Repris de *Poétique*, 39, 1979.

6

les prendre en charge. Or s'il y a, en linguistique, bien au-delà
de toute querelle d'école, comme un consensus quant à la
« régularité » de la grammaire, il paraît malaisé de trouver à
cette notion générale de structure linguistique un équivalent
« littéraire » pouvant prétendre au même degré de représentativité ou répondant à un même besoin fondamental.

Si l'on s'en tient aux premiers reflets d'une pensée structurale
en théorie de la littérature ou en analyse de textes, on voit bien
qu'elle est loin de se ressentir de cette problématique théorique.
Celle-ci, néanmoins, s'y fait jour au niveau des conséquences
pratiques : on se trouve en effet en face de plusieurs conceptions
qui se distinguent les unes des autres non seulement par la
terminologie adoptée, mais aussi et surtout par leur visée
structurale. Ainsi J. Tynianov, dans une perspective axée sur le
problème de l'évolution littéraire, réunit en ordre hiérarchique
le « système » du texte, le « système » du genre et le « système » de la totalité des genres (ou « système littéraire ») d'une
époque donnée [1] ; mais on relèvera que ce qui, ici, est dit
système se réduit essentiellement à la corrélation des membres
d'un ensemble, si bien que l'opposition entre système et
réalisation n'est pas prise en considération. Celle-ci, en
revanche, est mise à profit dans l'étude que V. Propp a
consacrée au conte folklorique russe, mais on sait que ce savant,
qui peut passer pour le père de l'analyse structurale du récit, ne
s'est pas inspiré d'un modèle linguistique, mais de la pensée
morphologique de Goethe qui, à la même époque, et sous
l'impact notamment du gestaltisme, a donné naissance, en
Allemagne, à une série d'études de genre à tendance structurale
(A. Jolles, G. Müller) [2].

Si l'on fait abstraction du structuralisme littéraire et esthétique de l'école de Prague, on n'aura pas de peine à remarquer
que indépendamment de la terminologie employée (assez

---

1. Cf. « Das literarische Faktum » et « Über die literarische Evolu-
tion », *Texte der russischen Formalisten I* (J. Striedter éd.), Munich,
Fink, 1969.
2. Voir K. W. Hempfer, *Gattungstheorie*, Munich, Fink, 1973, p. 80-
85.

bizarre, tout de même, dans le cas de Jolles), c'est à l'instance du genre que, dans cette première période, l'idée de structure s'identifie de préférence. On ne s'étonnera donc pas de voir plus tard des auteurs se servir de la dichotomie saussurienne langue/parole pour illustrer le rapport entre texte et genre correspondant[3]. L'analogie, certes, n'est pas sans fondements. En effet, si c'est la langue qui, sur le plan purement linguistique, rend la parole théoriquement compréhensible, c'est à partir du genre et de ses règles que le texte se constitue en unité conventionnelle de la pratique sociale. Que ses règles soient susceptibles de s'intégrer dans de plus vastes ensembles (le système littéraire d'une époque, le système d'une poétique générale), on aurait de la peine à le nier. Il s'agit pourtant là d'un aspect que, étant donné l'état actuel des recherches dans le domaine de la théorie des genres, on aurait quelque difficulté à préciser.

Ce n'est pas sous-estimer les résultats de bon nombre d'études de genre publiées ces dernières années que d'affirmer que leur mérite consiste surtout à nous avoir fait voir la grande complexité du problème général. Cette complexité résulte en partie du fait que, tôt ou tard, on se trouve dans la nécessité de faire face à des questions d'ordre théorique dont la portée paraît dépasser les limites du domaine de référence. Pour n'en donner qu'un seul exemple (et c'est d'abord celui-là qui retiendra notre attention) : quiconque se penche sur le problème de la définition d'un genre historique aura intérêt à se prononcer sur le statut du texte littéraire. Cette affirmation peut paraître banale puisque, nous l'avons vu, du moment qu'on recourt à une dichotomie du type langue/parole, le texte individuel se présente bel et bien comme appartenant à la catégorie du réalisé (du manifesté, du concret, etc.). Et s'il y a décalage entre le système et sa réalisation (décalage sur lequel est axée la conception formaliste de l'évolution littéraire), l'analogie ne

3. Cf. par exemple M. Głowiński, « Die literarische Gattung und die Probleme der historischen Poetik », *Formalismus, Strukturalismus und Geschichte* (A. Flaker et V. Žmegač éd.), Kronberg, Scriptor, 1974, p. 174 *sq.* ; K. W. Hempfer, *op. cit.*, p. 222 *sq.*

s'en trouve nullement compromise, car il en va de même pour
l'usage non littéraire de la langue : c'est par cette différence
qu'une langue naturelle est censée évoluer.

Et pourtant, cette analogie est trompeuse. Peut-être n'y a-t-il
pas d'inconvénient à la mettre à profit là où il s'agit de textes
non littéraires ; en littérature, les choses se révèlent beaucoup
plus compliquées dès lors qu'on tient compte de l'importance
qui, dans la conception de différentes écoles, est accordée à
l'instance du lecteur. Je ne m'arrêterai pas à la tradition de
l'herméneutique, reprise en Allemagne par H. G. Gadamer et
développée notamment par H. R. Jauss, qui a le mérite de se
pencher sur le problème de l'entendement des textes et de
mettre en évidence les conditions historiques auxquelles celui-ci
reste soumis. Partons plutôt de la conception de l'école de
Prague qui, par sa conceptualité plus riche, se prête mieux à
notre discussion. Il suffira de se rapporter à deux principes de
cette école qui, tous les deux, concernent précisément le statut
du texte littéraire.

Dans la théorie de l'esthétique littéraire telle qu'elle a été
développée par J. Mukařovský et ses disciples, l'œuvre littéraire
n'est pas vue comme une unité, mais se trouve divisée en deux
états : c'est d'abord le « texte-chose » ou l' « artefact », représentant l'œuvre dans son aspect exclusivement matériel et
virtuel ; c'est ensuite l' « objet esthétique », produit de la
« concrétisation » de l'œuvre par le lecteur qui, en conformité
avec les normes (ou « codes ») de son époque, a donné à celle-ci
un sens. Si l'on ajoute qu'il s'est trouvé quelqu'un pour mettre
ce dédoublement théorique de l'œuvre littéraire en analogie
avec la dichotomie langue/parole (à savoir R. Wellek[4]), on voit
immédiatement qu'il sera à tout le moins difficile de maintenir la
vue simpliste qui situe le genre au niveau de la langue et le texte
à celui de la parole. Car du moment qu'on adopte cette

---

4. Voir, à ce sujet, l'étude de M. Červenka, *Der Bedeutungsaufbau
des literarischen Werks,* Munich, Fink, 1978, p. 18 *sq.*, et mon
introduction « Zur literarischen Semiotik Miroslav Červenkas, *ibid.*,
p. XXVI *sq.*

perspective, on est obligé d'attribuer au texte un statut double : étant donné que c'est maintenant la concrétisation qui prend le statut de parole, le texte, tout en « réalisant » le genre historique correspondant, se présente par rapport à celle-là comme une structure. En outre, il est évident que ce dédoublement ne devrait pas s'arrêter là, puisqu'il est possible de regarder le genre historique comme une réalisation du système littéraire de l'époque, lequel, de son côté, pourrait être mis en rapport analogue avec un système d'invariants.

Ce qui inquiète un peu dans cette façon de voir les choses, ce n'est pas d'abord l'impossibilité où l'on se trouve de dire rien de plus concret sur cette organisation hiérarchique ; c'est avant tout, on s'en doute, l'analogie avec le modèle linguistique lui-même qui fait problème. Revenons au texte : si l'on veut bien admettre que celui-ci est la réalisation d'un genre, comment concevoir le statut structural de cette même réalisation, réalisation qui est, en plus, comme une « singularisation » ?

Il convient ici de rappeler une différence fondamentale qui distingue le décodage d'un texte littéraire de celui qui accompagne la communication de tous les jours. Si celle-ci se sert d'un langage référentiel pour atteindre un but pratique qui se situe au-delà de la manifestation linguistique (d'où le postulat — technique, en quelque sorte — de l'univocité du message), l'œuvre littéraire, à référentialité essentiellement affaiblie et émancipée de toute contrainte d'ordre pratique, ne recevra un investissement que sur un plan figural. En d'autres termes : le message (au sens large) du texte littéraire prend dans la perspective de la réception l'aspect d'un modèle, d'un « modèle de réalité » comme on a dit quelquefois. Si bien que théoriquement tout ce processus de « singularisation » croissante qui accompagne la genèse de l'œuvre peut être représenté, du point de vue de la réception, comme l'élaboration de plus en plus précise d'un modèle qui, finalement, est actualisé par l'acte de la concrétisation. Ce n'est donc qu'en vertu de cet acte final qu'on serait habilité à lui attribuer le statut théorique de la parole ; et si l'on a pu être en désaccord sur le statut correspondant de l'artefact, celui de la concrétisation ne semble pas avoir été mis en doute[5]. Cependant, tout porte à croire que là encore on aura à revenir sur l'analogie en question.

Nous allons passer rapidement sur un premier fait qui se situe plutôt en marge du problème. Il existe une forme de concrétisation qui échappe au classement que nous avons décrit, étant donné que l'aspect « parole » s'y trouve, pour ainsi dire, en souffrance. Toute exécution d'une œuvre littéraire destinée à la représentation (pièce de théâtre, mais aussi récitation), est le produit d'une concrétisation qui pourtant, du fait de son caractère ambigu — elle est à la fois réception et production — conserve en principe l'aspect générique du texte, cet aspect générique ne se résolvant que dans la réception par le public. Dans ce cas, on a donc affaire à un dédoublement de la concrétisation qui n'infirme en rien le statut qu'on a voulu lui reconnaître, puisque celui-ci peut être retrouvé dans l'acte final de la réception.

Disons tout de suite qu'il ne peut s'agir ici de reprendre le problème général de la concrétisation dont la discussion, inutile de le dire, dépasserait de beaucoup le cadre de cette étude. Dans les quelques remarques qui vont suivre, nous nous rapporterons une fois de plus à l'école de Prague, en l'espèce à son approche sémiotique que M. Červenka, sur les traces de J. Mukařovský, a reprise dans une étude récente[6].

On doit à Mukařovský cette phrase lumineuse qui dit que « la fonction esthétique transforme tout ce qu'elle saisit, en signe[7] ». Cette phrase est importante non seulement parce qu'elle souligne le statut particulier qui revient à la sémiotique en esthétique, mais aussi parce qu'elle donne à entendre que ce statut se définit par le rapport que l'art entretient avec la réalité. Non pas que celle-ci serve de support référentiel à la production des signes esthétiques : ce sont les signes eux-mêmes qui, par l'intermédiaire de la réception, se prolongent dans la réalité en

5. Voir M. Červenka, *op. cit.*, p. 19.
6. *Ibid.*
7. « Der Standort der ästhetischen Funktion unter den übrigen Funktionen », *Kapitel aus der Ästhetik,* Francfort, Suhrkamp, 1970, p. 128.

ce sens qu'ils y projettent leurs référents. Laissant de côté la structuration des signes à l'intérieur de l'œuvre, on ne tardera pas alors à attribuer aux principaux complexes sémiotiques qui s'y trouvent représentés (tels que personnages, action, milieu, etc.) la qualité de signes iconiques [8]. Or on peut poser que cette iconicité, supportée qu'elle est par l'intentionnalité foncière qui traverse l'œuvre entière, s'affirme dans l'expérience esthétique qui, elle, se répercutera finalement sur l'expérience générale du lecteur.

Si l'on adopte cette vue (on la retrouve d'ailleurs dans des études récentes axées sur le problème de la réception), il ne sera pas abusif de la faire valoir sur le plan historique. Nul doute, par exemple, que la fin de la tradition mimétique représente, dans l'histoire de la production littéraire de l'Occident, un tournant décisif ; mais on peut hésiter à lui accorder la même importance au niveau de la réception. Certes, on ne sait que trop bien que la littérature d'avant-garde de l'époque moderne n'a cessé de dérouter le public qui, sous l'impact de créations souvent « étranges », a eu quelque difficulté à se retrouver dans son rôle de destinataire. Mais si le contact s'est rétabli, c'est qu'une médiation a pu se faire entre le produit artistique et le monde de l'expérience du récepteur. Car quel que soit le changement que la configuration sémiotique du texte est susceptible de souffrir, son fonctionnement demande à être sanctionné par la réception qui, à travers un jeu de correspondances secrètes, relie le texte au monde de celui qui le lit.

Revenons à la concrétisation et tâchons d'être un peu plus précis. On admet généralement (c'est même une *conditio sine qua non* de la théorie de la réception) que toute concrétisation, qu'elle soit contemporaine de la production du texte ou qu'elle s'accomplisse à une époque ultérieure, ne saurait actualiser la totalité des ressources qu'un texte donné est supposé offrir. Elle

8. On se rappellera qu'une classification analogue, qui en quelque sorte reprend la traditionnelle qualification du discours littéraire comme « métaphorique », se rencontre aussi dans d'autres conceptions sémiotiques, par exemple dans celles de Ch. Morris et I. Lotman.

est donc toujours sélection par rapport au potentiel sémiotique de l'artefact, et elle est en même temps limitation, puisqu'elle reste soumise au vaste système des codes collectifs (codes linguistique, littéraire, socioculturel, etc.) qui définissent la situation historique du récepteur[9]. Rien n'empêche de parler dans ce cas d'un conditionnement « générique » de la concrétisation, puisque les données qui la commandent au départ articulent à un niveau plus général ce qui s'introduit sous forme de conventions dans la constitution d'un genre historique. On peut pourtant se demander s'il ne s'agit pas là d'un aspect purement formel en ce sens que la généricité ne se rattacherait qu'aux conditions historiques de la concrétisation alors que son produit (c'est-à-dire, dans la terminologie de l'école de Prague, le « signifié » qu'elle attribue à l'artefact, constituant ainsi celui-ci en « objet esthétique ») serait quelque chose d'unique. Notons tout de même que, d'après la conception de Mukařovský, l'objet esthétique avait sa place dans la « conscience collective ». C'était sans doute une hypothèse peu claire qu'on a certainement eu raison de critiquer[10]. Cependant, il y a des raisons pour admettre que la concrétisation, loin d'effacer le côté générique du signifié qu'elle produit, le met au contraire en relief.

Nous avons déjà dit que, en raison de son statut sémiotique spécial, le « message » du texte littéraire, tout particulier qu'il peut paraître du point de vue de sa constitution syntagmatique, prend une dimension paradigmatique ; d'où le statut de « modèle » qu'on lui a reconnu. Or il est évident que la concrétisation, tout en adaptant ce modèle aux conditions qui sous-tendent la réception, ne change rien à son statut, car si elle parvient à l'actualiser, ce ne sera guère sur la base de l'identification de tel élément du texte (personnage, époque historique, etc.) avec quelque donnée du monde extra-littéraire, procédé qu'on peut en tout cas considérer comme inadéquat étant donné

9. Cf. M. Červenka, *op. cit.*, p. 20-26. On négligera ici les contraintes d'ordre psycho-physique que Červenka ajoute.
10. Voir M. Červenka, *op. cit.*, p. 20-22.

qu'une telle identité demeurera toujours trompeuse. C'est le modèle entier que l'actualisation met en rapport avec certaines données génériques de l'époque, ouvrant ainsi la voie à son exploitation ou, en termes d'herméneutique, à son « application ». Ajoutons que cette actualisation peut faire défaut ; c'est le cas de textes (de « classiques », par exemple) qui, dans une époque ultérieure, restent sans public [11]. On pourra alors parler de « réception zéro » parce qu'il s'agit d'un phénomène tout aussi générique — bien qu'à titre négatif — que la réception effective.

Si donc on peut avancer que la concrétisation réalise, pour ainsi dire, le statut paradigmatique du message, on n'oubliera pas qu'elle s'accomplit à travers l'expérience de la forme particulière dans laquelle le texte se présente. Car toute préfigurée que cette forme et la manière de sa composition peuvent être par leur dépendance d'un genre déterminé, il n'en reste pas moins que, d'une façon générale, leur manifestation ne s'épuise pas dans cette relation. Remarquons toutefois que cette manifestation est en elle-même structurée en ce sens que le texte produit son propre code. Mais point n'est besoin de s'en tenir à cette structuration pour voir que l'embarras que peut susciter cette question de la forme n'existe qu'en apparence. Car il faut bien reconnaître que la particularité de la manifestation n'est, en réalité, que la condition et le point de départ de ce processus sémiotique dont on a vu la puissance générique. Elle ne s'en trouve pas pour autant effacée du fait de son caractère événementiel ; mais elle est toujours transcendée par l'effet de sens qu'elle est appelée à produire.

On dira donc, en guise de synthèse, que, vue sous ce jour, la réception d'un texte littéraire, si l'on accepte de l'identifier à la

---

11. Il semble préférable de parler dans ce contexte d' « actualisation », parce qu'on peut très bien s'imaginer une concrétisation (sous forme d'une analyse « professionnelle » ou scolaire, par exemple) qui ne réalise la réception que dans sa partie, disons, technique. Dans d'autres cas, cependant, l'actualisation fait défaut tout simplement parce que la lecture a été abandonnée, c'est-à-dire que la concrétisation n'a été qu'amorcée.

concrétisation et à l'actualisation, est essentiellement un processus générique et cela dans un double sens : par rapport aux conditions dont il se réclame (conditions dont dépendent sa constitution aussi bien que son accomplissement) et par rapport à son résultat, c'est-à-dire au modèle auquel il aboutit. C'est bien entendu ce deuxième aspect qui est surtout intéressant, puisqu'il se rattache à l'acte même de la réception. On peut donc avancer que la réception littéraire est, en dernière analyse, l'expérience de la production sémiotique d'une nouvelle configuration générique. C'est par l'intermédiaire de cette configuration aussi que l'art, pour ainsi dire, rejoint la vie.

Jusqu'ici, nous n'avons pas accordé une attention particulière aux genres littéraires. On aurait certainement tort de ne pas en tenir compte dans le contexte de cet exposé. Depuis longtemps, on a reconnu l'importance du rôle que les genres sont appelés à jouer dans la réception, rôle qui n'est pas manifeste quand on parle très sommairement, comme nous l'avons fait, du « code littéraire » d'une époque. D'après l'opinion générale, le genre historique est à considérer comme un ensemble de normes (de « règles de jeu », comme on a dit aussi [12]) qui renseignent le lecteur sur la façon dont il devra comprendre son texte ; en d'autres termes : le genre est une instance qui assure la compréhensibilité du texte du point de vue de sa composition et de son contenu. Ce n'est pourtant pas cet aspect du problème que nous entendons reprendre ici, mais un autre, d'un intérêt plus général, qui nous permettra de compléter les considérations précédentes.

Commençons par une remarque qui, dans la perspective de cet exposé, s'impose. L'école de Prague, à qui on doit des réflexions profondes sur la fonction sémiotique de l'œuvre littéraire, ne s'est pas penchée sur le problème des genres ou, du moins, n'a pas fourni, dans ce domaine, d'études théoriques d'importance. Partant de la conception sémiotique de cette

12. Cf. K. W. Hempfer, *op. cit.,* p. 223.

école, il est, en effet, difficile d'arriver à des résultats bouleversants. C'est en tout cas une direction de recherche qui, dans le contexte de cette approche, ne semble pas s'imposer particulièrement [13]. Nous allons donc reprendre la question des genres par un autre bout sans toutefois perdre de vue l'orientation générale que nous avons suivie dans la première partie.

Dans une étude récente, R. Scholes s'est proposé de développer une théorie capable de rendre compte de l'organisation générique de la fiction littéraire [14]. Dans le présent contexte il n'y a pas lieu de s'arrêter aux résultats de cette entreprise ni même à la méthode suivie. C'est le point de départ qui retient notre attention puisqu'il est axé sur le rapport entre le monde fictionnel et le monde du « réel ». Dans l'idée de Scholes, toutes les œuvres de fiction peuvent être réduites à trois « modes » de base (« mode » équivaut ici à « type idéal ») qui correspondent à trois formes du rapport en question. Ainsi le monde fictionnel peut apparaître, par rapport au monde de l'expérience, comme *a*) meilleur, *b*) pire, et *c*) comme son égal. D'où l'identification de ces trois possibilités avec, respectivement, les modes dits « romance », « satire » et « histoire », qui ensuite sont subdivisées sur la base de leur manifestation dans l'histoire de la littérature (anglaise, de préférence). Ce qui importe dans cette approche, c'est que la constitution de ces différents modes du fictionnel est censée se répercuter sur leur réception par le lecteur en ce sens qu'ils lui offrent un point de vue sur sa propre situation et qu'il est amené à s'interroger sur sa propre vie. Ainsi, par exemple, dans la fiction dite « sentimentale » (le « sentiment » est ici un mode disons de transition, entre l'histoire et la romance), les personnages nous invitent à aspirer à leurs vertus non héroïques ; ceux de la comédie « ont des faiblesses humaines que nous aussi nous pouvons bien essayer de corriger » (p. 83), etc.

13. Voir, par exemple, les remarques que M. Červenka a consacrées aux genres littéraires (*op. cit.*, p. 144-151).
14. Parue en extrait de son livre *Structuralism in Literature* (1974), dans *Poétique,* 32 (1977), p. 507-514 (« Les modes de la fiction ») ; voir *supra,* p. 77-78.

On n'aura peut-être pas tort de dire que cette façon de voir les choses appelle sur plusieurs points la critique. Ce qui est particulièrement embarrassant, c'est que la démonstration semble axée sur l'évolution historique de la littérature des siècles passés et cela dès le début, c'est-à-dire déjà dans la partie théorique. Car on ne voit pas comment arriver autrement à qualifier le rapport entre le monde fictionnel et celui de la réalité d'après un critère qualitatif aussi élémentaire (meilleur/pire), et on hésitera surtout à parler d'une relation d'« égalité » entre ces deux mondes. Par ailleurs, admettre un effet moralisateur de la comédie, c'est se conformer un peu vite à la définition du genre telle qu'on la trouve dans les traités de poétique ou dans les propos de certains auteurs d'époques révolues...

Et pourtant, on peut se rallier à l'opinion de G. Genette qui, se référant à un autre aspect de l'étude de Scholes, a dit qu'il est « difficile de n'y trouver aucune inspiration [15] ». N'insistons pas sur ce que la taxinomie elle-même a de douteux, ni sur la vue un peu simpliste des effets que les modes sont censés produire sur le lecteur ; avouons que, tout en la critiquant, nous ne saurions la remplacer par des affirmations plus nuancées, plus adéquates enfin. Quoi qu'il en soit, mettre les modes de la fiction en rapport non seulement avec telle attitude du public (qui pourrait encore, à la rigueur, se situer sur la ligne « crainte et pitié »), mais aussi avec certains prolongements qu'ils sont susceptibles d'avoir dans le monde de l'expérience — c'est là sans doute une idée intéressante que nous allons reprendre parce qu'elle rejoint la perspective que nous avons essayé d'esquisser plus haut.

Remarquons d'abord que toute étude d'un problème de genre implique en principe une réflexion sur quelques questions fondamentales telles que le rapport entre l'universel (ou le général) et l'historique (de la définition duquel dépend le jugement sur toute une série de questions plus spéciales), le statut du genre, etc. Nous n'entendons pas y renoncer complètement, mais, comme la problématique qui va nous occuper est

---

15. Voir son article « Genres, " types ", modes » dans *Poétique,* 32, p. 409 ; *supra,* p. 127.

assez complexe, il ne sera pas possible de donner aux quelques remarques qui vont suivre un caractère tant soit peu systématique. Au reste, on verra qu'au niveau où nous comptons reprendre l'idée de Scholes, ce qu'on a appelé très sommairement le problème des genres s'efface (une fois de plus...) derrière le problème du générique.

Il y a des raisons pour admettre que la notion de « mode », qui commence à s'introduire dans la discussion, y tiendra sa place, même si à l'heure actuelle son acception varie selon les auteurs [16]. Si nous nous référons à l'emploi qu'en a fait Scholes, ce ne sera pas toutefois sans donner aux « modes » un sens encore différent, procédé certainement troublant, mais que nous entendons justifier. En effet, étant donné qu'il est question des « modalités » de la réception et de leurs répercussions dans le monde de l'expérience du lecteur, il peut paraître raisonnable de considérer les premières comme des fonctions de quelques principes organisateurs, de « modes » (on est tenté de dire « modalisants »), de qualités enfin qui sont mises en œuvre pour conditionner d'une façon ou d'une autre le récepteur. De là à faire entrer en ligne de compte les « qualités métaphysiques » de R. Ingarden (le sublime, le tragique, le grotesque, l'incompréhensible, etc. [17]), il n'y a pas loin, et ce rapprochement semble d'autant plus séduisant qu'on connaît l'histoire de l'institutionnalisation de quelques-unes de ces qualités. Quoi de plus naturel alors que de penser le genre littéraire aussi comme une sorte de dispositif destiné à régler l'investissement d'une ou de plusieurs de ces qualités en vue de la fonction qu'elles sont censées exercer dans la réception ? Et l'on ne peut pas ne pas voir l'avantage d'une telle mise en rapport : les « qualités métaphysiques » n'étant pas limitées à l'art puisqu'elles se rattachent aussi à certaines expériences de la vie quotidienne, il n'y aurait aucun inconvénient à les ranger parmi ces principes ou

16. Cf. dans l'article de Genette la remarque où il compare sa terminologie avec celle de Scholes (p. 421, n. 78 ; *supra,* p. 147, n. 85).
17. Cf. R. Ingarden, *Das literarische Kunstwerk,* Tübingen, Niemeyer, 2ᵉ éd., p. 310 *sq.*

facteurs qui sont à la base de cette osmose secrète qui relie l'art à la vie et la vie à l'art. Et comme dans la vie de tous les jours les qualités en question n'ont pas l'habitude de se manifester très souvent, c'est bien l'art qui vient suppléer à ce manque, en mettant en évidence ce qui, dans la vie, n'est souvent qu'un faible réflexe[18]. On a voulu insister, ces derniers temps, sur la nécessité de faire sanctionner les concepts de genre au niveau de la pratique sociale — eh bien, il semble beaucoup plus « réaliste » d'admettre que l'écrivain cherche à atteindre son lecteur par telle « modalisation » que de le faire commencer par le choix de telle « situation d'énonciation » (dans la terminologie de G. Genette, les « modes » narratif, dramatique et autres[19]), ce qui reviendrait, dans cette même perspective, à faire précéder l'objectif par sa réalisation.

Les choses, il faut bien l'avouer, ne sont pas si simples. Évitons tout d'abord d'aborder la question de l'institutionnalisation de nos modes, entreprise malaisée et à succès peu certain. Disons seulement que, sur le plan théorique, cette institutionnalisation commence par le fait littéraire lui-même. La mode du *ready made,* qui, dans les années soixante, a produit des exemples en littérature (« textes » allemands de Peter Handke, entre autres), peut être interprétée comme la mise en évidence du mode esthétique en tant que condition fondamentale de cette expérience particulière de qualités métaphysiques qu'est la littérature. Ensuite, ce serait le tour du mode général de la fiction, etc. On aurait d'ailleurs tort de vouloir rechercher cette institutionnalisation du seul côté de la production littéraire : il n'est pas sûr qu'un spectateur qui assiste de nos jours à la représentation d'une tragédie grecque « réalise » précisément la qualité du tragique et non pas celle de l'étrange, voire du grotesque, n'importe. C'est que la relation mode investi — expérience est soumise aux

18. Voir les belles pages que Ingarden a consacrées à cet aspect *(loc. cit.).*

19. Art. cité, p. 394 ; *supra,* p. 100.

changements historiques ; d'où une éventuelle dissymétrie du mode investi et du mode de la réception.

Ce qui fait problème dans cette approche est quelque chose d'autre. C'est aller un peu vite en besogne que de passer des modes aux « modalités » de la réception, comme si le texte lui-même n'était qu'un simple support matériel de ce passage. N'oublions pas ce que nous avons dit au sujet de la réception du texte littéraire. Or, comment concilier l'aspect des modes avec ce que nous avons appelé la production d'une nouvelle configuration générique ? Affirmer que celle-ci se fait sur la base du ou des modes, ce n'est peut-être pas tout à fait faux ; mais il est à coup sûr impossible d'identifier cette configuration que la concrétisation est censée produire à la représentation des modes qui sous-tendent le texte en question, ni de l'y faire s'y épuiser. Force nous est donc de reconnaître qu'il y a un certain décalage entre la théorie des modes telle que nous venons de l'esquisser et la façon dont nous avons envisagé la réception. Car il est maintenant visible qu'à ne s'en tenir qu'aux modes on a quelque difficulté à dépasser le niveau de l'immanence du fait littéraire, en ce sens que la réception, dans ce cas-là, se réduirait plus ou moins aux effets que les modes produisent. Quant à son rapport avec le monde du « réel », on serait amené à le voir sous le seul point de vue de la compensation que la littérature est susceptible d'offrir — conséquence fâcheuse à bien des égards. Or, si comme nous l'avons affirmé il y a des raisons pour admettre que la réception n'est pas sans se répercuter sur l'expérience du récepteur (point de vue qui a repris de l'importance dans quelques études récentes de la fiction littéraire, notamment dans celles de W. Iser, et on n'oubliera pas R. Scholes), une réflexion dans ce sens gagnerait à être mise en relation avec quelque élément situé, pour ainsi dire, à l'intérieur du processus littéraire. Ce serait, à notre sens, les modes, mais encore : comment penser cette relation ?

Il est évident que les modes, pour pouvoir être perçus, demandent à être manifestés sous une forme ou sous une autre. On devra donc admettre qu'ils font partie de cet ensemble signifiant du texte qui est soumis à la concrétisation, ce qui revient à dire qu'ils sont réalisés suivant les données des codes historiques (codes linguistique, littéraire, socioculturel, etc.) qui sont à la base de la concrétisation et de l'actualisation qui en résultent[20]. C'est donc à partir de cette réalisation que les modes vont se projeter sur l'expérience du lecteur, se reconstituant en quelque sorte en attitudes.

N'oublions pas aussi que le texte en tant qu'expression ne recevra son investissement qu'à condition de se voir attribuer un statut générique, c'est-à-dire de se constituer en modèle de la réalité. Par conséquent on peut avancer que le fonctionnement des modes se fait sur la base de ce modèle et non pas sur celle de l'expression. Il s'agit là sans doute d'une différence essentielle qui distingue la manifestation littéraire des « qualités métaphysiques », de leur apparition dans le monde extra-littéraire. Mais on peut voir aussi que la forme de cette manifestation est due précisément à l'impossibilité de concevoir les modes indépendamment de leur rapport profond avec la vie.

Ce rapport, qui, en principe, est inévitable et éternel, varie toutefois selon les modèles, c'est-à-dire selon la représentation qui leur sert de base. Mais l'on soutiendrait volontiers ici que les extrêmes se touchent, si par « extrêmes » on entend d'une part la représentation d'éléments qui sont empruntés à la réalité immédiate du récepteur et qui répondent aux lois de l'expérience, et d'autre part une configuration qui se situe au-delà de toute « vraisemblance » : tout comme dans le premier cas ces éléments sont pris en charge par le modèle, il n'y a concrétisation dans le second que par la mise en relation, si indirecte, si discrète soit-elle, de ce qui est dit dans le texte et de ce qui, dans le monde du réel, peut être l'objet de nos sensations, de nos sentiments, de nos craintes et désirs. C'est que le texte ne saurait démentir cette destination finale que le lecteur est bien obligé de lui attribuer : d'être un acte de langage et par là d'être porteur d'un message.

On pourra donc dire, en guise de synthèse de cet exposé, que

---

20. Peut-être conviendra-t-il de rapprocher les modes plus exactement de l'actualisation ; voir *supra*, note 11.

les modes sont mis en évidence par les modèles, mais que l'inverse n'en est pas moins vrai, étant donné que les modèles ne sauraient être réduits à cette fonction instrumentale. S'ils sont au service de la connaissance, c'est que cette fonction épistémologique ne peut être pensée que sur la base d'un investissement modal. Le générique du modèle et celui du mode, complémentaires dans leur manifestation, sont donc solidaires l'un de l'autre par leur fonction.

Il n'est peut-être pas inutile d'insister sur cette solidarité. D'une façon générale, on peut remarquer que, dans les théories qui cherchent à rendre compte du fonctionnement du texte littéraire, l'aspect modal (tel que nous l'avons conçu) est souvent négligé, si tant est qu'on y aborde la problématique qu'il recouvre. Ainsi par exemple on a quelquefois tendance à établir une relation de cause à effet entre certaines propriétés sémantiques de l'œuvre et l'activité du lecteur : du fait de son contenu ambigu, souvent indéterminé et en quelque sorte « incomplet », le texte est supposé déclencher du côté du lecteur une série d'opérations visant à fixer son message, à le rendre plus précis, plus complet, plus vivant enfin. Il s'agit là, certes, d'une activité qu'on peut qualifier d'esthétique, mais il paraît malaisé de la fonder uniquement sur un critère d'ordre sémantique. Car s'il est vrai, comme on l'a dit, que le lecteur part à la recherche d'un sens tout simplement parce que toute œuvre est censée en offrir un, encore faut-il qu'il y trouve son compte. On peut en effet très bien imaginer un texte quelconque qui présente toutes les propriétés sémantiques requises sans pour autant entraîner une lecture d'ordre esthétique, et ce qui est dit « modèle de la réalité » n'est *a priori* pas plus qualifié pour entretenir notre attention que la fiction elle-même. Il faut donc que le texte mette en valeur des qualités susceptibles de rendre la lecture attrayante et intéressante. Pour ce qui est du discours de la poésie proprement dite, il est plutôt rare qu'on n'ait pas fait cas de tous ces phénomènes qu'on peut mettre en rapport avec la fonction « esthétique » du langage et qui, d'une façon générale, ne sont pas sans se répercuter sur la sensibilité et l'attitude du récepteur (faits de similarité, d'iconicité, etc.). Et

pourtant, on hésitera à mettre ces phénomènes au même rang
que les modes. Car, à bien prendre les choses, il n'y a pas de
différence essentielle entre une poésie et, par exemple, une
nouvelle, un roman, etc. Et s'il y a lieu d'insister sur la
participation indispensable des modes à la réception de textes de
la seconde catégorie, on est bien obligé d'en faire autant dans le
cas des textes dits poétiques. Il est certain que les particularités
qu'on peut y trouver relèvent en dernière analyse de quelques
qualités modales, mais ce ne sont là que des articulations fort
incomplètes, qui sont loin de traduire l'investissement modal
dans toute sa portée. Il est trop tôt pour dire quelque chose de
plus précis sur la forme de cet investissement ; nul doute qu'elle
varie suivant la catégorie du mode, et c'est évidemment là que
réside la différence dont il était question. Quoi qu'il en soit, une
fois qu'on a reconnu l'importance théorique de l'aspect modal, il
semble logique d'admettre qu'en principe il sous-tend l'œuvre
littéraire dans sa totalité. C'est là une condition essentielle de
tout acte de réception*.

*  Je remercie Lucien Dälienbach qui a bien voulu revoir cet article au
point de vue de la forme.

# Jean-Marie Schaeffer

# *Du texte au genre*

## Notes sur la problématique générique *

De tous les champs dans lesquels s'ébat la théorie littéraire, celui des genres est sans nul doute un de ceux où la confusion est la plus grande. Cela me semble pouvoir s'expliquer par le fait que les théories génériques manifestent souvent de manière exacerbée certaines difficultés, voire apories, qui structurent de nombreuses théories littéraires.

1. Je poserai au départ que la plupart des théories génériques ne sont pas véritablement des théories littéraires, mais plutôt des théories de la connaissance. Je veux dire par là que leur enjeu transcende la théorie littéraire proprement dite et débouche sur des querelles d'ordre ontologique[1].

Toute théorie générique, apparemment, embraye sur une question définitoire, ayant à peu près la forme suivante :

(1) Qu'est-ce qu'un genre ?

Cette question a donné lieu aux réponses les plus diverses : le genre serait soit une norme, soit une essence idéale, soit une

\* Repris de *Poétique*, 53, 1983.

1. Thèse déjà défendue par Klaus Hempfer, *Gattungstheorie*, Munich, 1973. Cependant les conclusions auxquelles aboutit Hempfer sont à l'opposé de celles que je propose ici.

matrice de compétence, soit un simple terme de classification auquel ne correspondrait aucune productivité textuelle propre, etc. Mais ce qui me retient ici pour le moment, ce ne sont pas tellement ces réponses multiples et divergentes, mais plutôt le cadre dans lequel, la plupart du temps (donc ni toujours ni nécessairement), elles sont formulées. La question (1) n'est en effet très souvent rien d'autre qu'une forme abrégée de la question suivante :

(2)  Quelle est la relation qui lie le(s) texte(s) au(x) genre(s) ?

A première vue cette reformulation apparaît innocente, puisque d'une manière ou d'une autre le terme de « genre » semble bien être le corrélat à définir de cet autre terme, supposé connu celui-là, que serait le « texte ». Pourtant cette reformulation risque d'être liée à deux confusions majeures. En premier lieu elle mélange deux questions différentes qui sont, d'une part :

(2a)  Quelle est la relation qui lie les textes aux genres ?
et d'autre part :

(2b)  Quelle est la relation qui lie tel texte donné à « son » genre ?

Je montrerai plus loin en quoi ce mélange est l'indice d'une confusion plus fondamentale. En second lieu, et c'est ce qui me retiendra tout de suite ici, la formulation (2), par sa structure syntaxique et sémantique, risque d'infléchir le débat générique de manière subreptice vers la question :

(3)  Quelles sont les relations entre les phénomènes empiriques et les concepts ?

Certes, le passage de (2) à (3) n'est pas obligatoire, mais il n'en demeure pas moins que la plupart des théories génériques *en fait* pratiquent ce glissement dont l'indice le plus voyant me semble résider en ce que l'on commence à se poser des questions sans fin quant à savoir ce qui est, pour parodier Hegel, « le plus réellement réel », des genres ou des textes individuels.

Il va de soi qu'une fois qu'on nous a menés de (1) à (3) le tour est joué, et la balle passe aux philosophes qui risquent bien de se la repasser *ad infinitum*. Car à partir du moment où le problème générique est considéré comme une spécification de (3), le débat sur la théorie générique se change en champ de bataille de la *querelle des universaux*, avec ses protagonistes traditionnels que sont le réalisme et l'idéalisme, sans oublier le dernier venu, à savoir le constructivisme qui prétend tirer les marrons du feu. Quant au « théoricien de la littérature », il est perdant d'avance, car que peut-il répondre à des questions-massues telles que : « les genres existent-ils ? Et, si oui, de quelle existence ? ».

Il faut bien voir que l'enjeu de ce débat n'est plus littéraire ni même épistémologique, mais ontologique, puisqu'il concerne la *théorie de l'être : quid/quod est?* Les systèmes génériques romantiques (par exemple celui de Fr. Schlegel), ceux de l'idéalisme allemand (Schelling, Solger et Hegel), de même que la théorie crocéenne, possèdent, à cet égard, un avantage certain sur les innombrables systèmes ou antisystèmes postérieurs qui s'en inspirent : c'est qu'ils formulent explicitement l'enjeu ontologique qui forme le fondement réel de leur discours générique. Il faut sans doute ajouter aussitôt qu'en fin de compte cependant cet avantage est vain, puisqu'il ne fait qu'imposer la conclusion que toute argumentation rationnelle est impossible dans ce champ théorique où se décider pour telle ou telle théorie générique implique qu'on passe avec armes et bagages dans le camp de l'ontologie correspondante.

Il est par exemple évident que le discours hégélien sur les genres et le système triadique dans lequel il s'incarne sont directement dépendants d'une ontologie réaliste pour laquelle le réel est l'autoréalisation du Concept[2]. A l'inverse, la polémique crocéenne contre les théories génériques est indissociable de sa position nominaliste qui ne voit dans les catégories esthétiques

---

2. Selon Hegel, le principe d'ordre des arts doit découler de la nature même de l'œuvre d'art ; or, cette nature est telle que la totalité des aspects et moments inclus dans son concept trouve à se réaliser dans la totalité des genres (artistiques et plus spécifiquement littéraires). Le système générique constitue donc le développement (*Entfaltung*) du Concept dans sa totalité concrète, c'est-à-dire en tant que véritablement réel (*real wirklich*). Voir G. W. Hegel, *Vorlesungen über die Aesthetik*, II, p. 234, 262-265 ; III, p. 390, etc. (= *Werke in 20 Bänden*, Band 14, 15, Francfort/Main, 1970).

que des « pseudo-concepts[3] ». Un cas plus intéressant est celui
de la théorie générique de Fr. Schlegel qui combine un réalisme
et un nominalisme, tous les deux « régionaux » : la poésie
antique serait générique, alors que la poésie postantique serait a-
générique. Cette dichotomie est fondée dans et par l'ontologie
romantique qui est une ontologie dualiste, postulant que
l'Antiquité est l'âge de l'hégémonie de l'Objectivité (donc aussi
de l'hégémonie des genres sur les œuvres individuelles), et qu'au
contraire l'âge postantique, inauguré par la naissance du Christ,
est caractérisé par l'hégémonie de la Subjectivité sur l'Objectivité
(et donc des œuvres individuelles sur les principes génériques)[4].

Klaus Hempfer, dans son livre déjà cité, rejette à la fois les
positions réalistes et les positions nominalistes et propose le
constructivisme (à la Piaget) comme remède :

> Le constructivisme représente une synthèse entre les
> positions traditionnelles du nominalisme et du réalisme,
> puisqu'il ne considère pas les concepts généraux comme de
> simples fictions, mais ne leur accorde pas non plus
> d'existence apriorique à côté des individus concrets, que ce
> soit en un sens platonicien ou aristotélicien ; il les
> considère comme autant de constructions résultant de
> l'interaction entre le sujet et l'objet de la connaissance[5].

Au niveau de la théorie générique, cette position constructiviste aboutirait, si j'ai bien compris, à une démarche mettant en
œuvre deux étapes :

---

3. Croce qualifie les poétiques génériques de « *maggior trionfo
d'ell'errore intellettualistico* » (cité par Hempfer, *op. cit.*, p. 39). Il faut
cependant noter que ce nominalisme est limité à l'esthétique (pour
laquelle il n'accepte qu'un seul concept général, la « *bellezza* ») et ne vaut
pas pour les concepts des sciences naturelles. C'est qu'en fait les
catégories génériques sont de fausses catégories générales se situant entre
la (vraie) universalité de la « *bellezza* » et l'individualité des œuvres
concrètes.
4. Selon la métaphysique romantique, Dieu, inauguralement pure
objectivité transcendante, s'individualise dans le Christ.
5. Hempfer, *op. cit.*, p. 271.

*a*) En un premier temps il s'agit de constituer une base textuelle, c'est-à-dire un *corpus* d'analyse. Pour ce faire, le théoricien doit utiliser de préférence la méthodologie mise au point par l'esthétique de la réception, c'est-à-dire qu'il doit procéder à une classification grossière sur la base de la *réception* générique des textes.

*b*) En un deuxième temps il s'agit de structurer cette base textuelle. La nature constructiviste de cette structuration est censée résider dans le fait qu'elle doit se fonder sur une réflexion critique s'exerçant à l'encontre des tentatives de structuration antérieures, en tenant compte bien entendu de leur « degré d'adéquation objective ».

Je ne discuterai pas ici le fait de savoir si oui ou non le constructivisme est préférable aux deux autres théories sur le plan épistémologique [6], ne serait-ce que parce que la discussion risquerait d'être infructueuse : la thèse, défendue par de nombreux épistémologues [7], comme quoi il s'agit là d'un problème de décision non fondée et non fondable, plutôt que d'une question de vérité ou de fausseté, me paraît plus que plausible. Je ne m'attarderai pas non plus sur le traditionalisme auquel semble être condamnée une théorie qui, pour des raisons épistémologiques, donc des raisons de principe, doit obligatoire-

6. Il faut noter qu'une théorie qui voit dans les concepts le résultat d'interactions entre le sujet et l'objet de la connaissance peut parfaitement être combinée avec les variantes historicistes du réalisme, par exemple les variantes para-hégéliennes. A l'inverse, un nominalisme psychologisant, voyant dans les objets des stimuli pour notre activité intellectuelle, s'accorde lui aussi parfaitement avec le constructivisme, puisque rien n'impose que le stimulus et la réaction aient un quelconque rapport de représentativité. Cela me semble dû au fait que le constructivisme pose la question de la *genèse* des concepts plutôt que celle de leur statut, et il est pour le moins symptomatique qu'au niveau de la définition de leur statut il en reste à un ni... ni qui en fait n'explique pas grand-chose

7 Voir, entre autres, W V Quine, *From a logical Point of View*, Harvard, 1953, et W. Stegmüller, *Das Universalienproblem einst und jetzt. Archiv für Philosophie*, VI, 3/4, et VII, 1/2, 1956.

ment se fonder sur les « acquis » du passé [8]. Une telle conception endosse l'idée d'une évolution linéaire de quelque chose qui
serait la « connaissance littéraire », ce qui, d'après moi, est en
grande partie une fiction, notamment en ce qui concerne les
catégories génériques qui, au fil de leur histoire, sont entrées
dans des stratégies discursives complètement hétérogènes les
unes aux autres.

Ce qui m'importe davantage, c'est de constater les convergences fondamentales qui lient le constructivisme au réalisme et
au nominalisme, convergences qui découlent du fait que tous les
trois transforment le discours générique en un discours ontologique. Elles se concentrent autour de la construction d'une
dichotomie entre texte(s) et genre (s), qui seule rend possible la
constitution de ce discours ontologique. Je veux dire par là que
pour pouvoir se poser la question des rapports ontologiques
entre textes et genres, il faut d'abord les avoir constitués en une
extériorité réciproque. Une telle extériorité réciproque à son
tour ne s'impose que si on réifie le texte, c'est-à-dire si on le
considère comme un *analogon* d'objet physique, et si on voit
dans le genre un terme transcendant « portant sur » cet objet
quasi physique.

Si l'on veut sortir le débat générique de cette fausse
querelle, il faut donc cesser d'identifier la question (2) à la
question (3), c'est-à-dire qu'il faut abandonner la réification du texte et, corrélativement, l'idée d'une extériorité
d'ordre ontologique entre texte et genre. La théorie constructiviste ne fait ni l'un ni l'autre [9] : elle ne nous sort pas du

8. Pour cet aspect de la théorie de Hempfer, voir G. Genette,
*Introduction à l'architexte,* Paris, Éd. du Seuil, 1979, p. 79-81 ; et *supra,*
p. 150-151.
9. Ainsi, contrairement à ce qu'on pourrait croire, le recours à
l'esthétique de la réception ne met pas en échec le postulat du texte-
organisme clos, puisque selon cette théorie les conditions de réception
ne font que se surajouter à un texte déjà constitué dans la plénitude de
son sens. Pour l'esthétique de la réception le texte n'est pas un canal de
communication (à investir par des actes communicatifs), mais plutôt un
contenu transmis. Voir à ce propos D. Breuer, *Einführung in die
pragmatische Texttheorie,* Munich, 1974, notamment p. 211.

dilemme ontologique mais nous propose les « avantages » d'un trilemme.

2. Les genres développent-ils l'essence de la littérature ? N'y a-t-il au contraire de réels que les textes individuels, les genres n'étant que des pseudo-concepts tout au plus bons pour des classements de bibliothécaire ? Ou alors faut-il admettre que ce n'est ni l'un ni l'autre, et, d'une certaine manière (?), les deux à la fois ?

Autant de questions qui encombrent la théorie générique, mais qui, c'est du moins mon avis, n'ont pas d'objet réel. Cela pour la simple raison qu'elles sont fondées sur deux postulats à la fois superflus et inadéquats : le texte comme *analogon* d'objet physique et le genre comme extériorité transcendante (ou, dans le cas des théories nominalistes, pseudo-extériorité, c'est-à-dire en fait pur néant).

Je voudrais partir ici du postulat d'extériorité et de ses implications. Il faut écarter d'abord le faux problème de l'extériorité générique définie soit comme description théorique, soit comme discours normatif (et à la limite comme ensemble de normes psychologiquement intériorisées). Dans le premier cas l'extériorité est tout simplement celle qui existe entre deux textes : que l'un d'eux soit en l'occurrence un métatexte donne certes une allure spéciale à la relation qui les unit (et qui semble être une relation prescriptive), mais ne crée aucun problème épistémologique spécial. Ainsi les relations qui unissent la théorie du roman de Fr. Schlegel à son roman *Lucinde* peuvent être décrites comme les relations unissant un programme à sa réalisation ; il suffit pour cela d'admettre la transformation des propositions déclaratives de la théorie en propositions prescriptives. Quant au problème de la généricité comme norme intériorisée, il concerne le postulat d'un terme intermédiaire entre un ensemble de textes et un texte individuel qui est dit être conforme au modèle générique constitué par cet ensemble. Il s'agit en l'occurrence d'un principe d'explication secondaire qui vise à motiver le passage d'une classe de textes à un texte individuel se conformant par certains traits à cette classe : en aucun cas le postulat de la norme générique ne prétend *fonder* une classe de textes (ce qui est le cas des théories génériques fondées sur une ontologie réaliste).

De ces cas d'extériorité triviale il faut distinguer celle qui est postulée comme fondatrice d'une classe de textes, en tant que matrice de compétence, en tant qu'essence cachée, en tant que structure universelle, etc. Ce n'est que dans le cadre de cette extériorité-là que la problématique générique se transforme en problème ontologique. Or, il me semble que le postulat d'une telle extériorité est parfaitement inadéquat et inutile. Si nous en restons au niveau de la phénoménalité empirique, la théorie générique est tout simplement censée rendre compte d'un ensemble de ressemblances textuelles, formelles et surtout thématiques : or, ces ressemblances peuvent parfaitement être expliquées en définissant la généricité comme une composante textuelle, c'est-à-dire les relations génériques comme un ensemble de réinvestissements (plus ou moins transformateurs) de cette même composante textuelle. La littérature étant par définition institutionnelle, la généricité peut parfaitement être expliquée par un jeu de répétitions, d'imitations, d'emprunts, etc., d'un texte par rapport à un autre, ou à d'autres, et le recours à un postulat aussi « puissant » que celui d'une structure ou matrice de compétence se révèle parfaitement superflu puisqu'il n'explique pas plus de choses que ne le fait une conception transtextuelle [10] de la généricité. En plus ce postulat est inadéquat, dans la mesure où il est incapable de prendre en compte la dimension essentiellement dynamique de la généricité et impose une vue simplement classificatoire qui méconnaît la spécificité de la relation générique [11].

Un avantage certain d'une définition purement textuelle de la généricité réside dans le fait qu'elle permet d'établir un critère empirique, ce qui n'est pas le cas des théories ontologiques où

10. J'emprunte ce terme à G. Genette, *Palimpsestes*, Paris, Éd. du Seuil, 1982.
11. Voir plus loin.

les « genres » sont par définition transcendants à la textualité et donc du même coup empiriquement inattaquables.

Un exemple un peu « exotique » (pour un lecteur du XXᵉ siècle) illustre joliment à la fois le côté parfois hallucinatoire des théories génériques ontologiques et les avantages décisifs qui peuvent découler d'une approche textuelle de la problématique générique. L'objet dont il s'agit est un ensemble de textes épiques allemands remontant au XIIᵉ-XIIIᵉ siècle. Or le XIXᵉ siècle et une partie du XXᵉ siècle se sont plu à découvrir dans (il serait plus exact de dire : en dessous de) ces textes un genre, qu'on a baptisé *das deutsche Heldenepos*, autrement dit l'*épopée héroïque germanique*. Les textes ainsi baptisés sont *la Chanson des Nibelungen*, *le Poème de Wolfdietrich*, *le Poème de Dietrich*, *le Poème d'Ortnit*, *le Poème de Kudrun* et quelques autres. Comme cela se retrouve fréquemment dans les théories génériques ontologiques, la définition de ce genre va de pair avec la constitution d'un genre auquel il s'opposerait, à savoir l'*épopée courtoise* d'inspiration arthurienne. On voit déjà d'ici la « fertilité » d'une telle dichotomie, notamment dans ses prolongements idéologiques : l'épopée héroïque et l'épopée courtoise s'opposent comme l'âme germanique à un produit d'importation française, comme la poésie naturelle à la poésie d'art, la poésie populaire à la poésie savante, mais aussi comme la poésie originaire à une poésie plus tardive, donc moins essentielle et plus factice. Sans parler de traits plus précis tels que la fidélité virile opposée à un amour efféminé, le culte du courage opposé à l'alanguissement courtois, etc. Tout cela se résume dans la thèse centrale qui dit que l'épopée héroïque met en scène l'essence de la germanité :

... Ici [dans les *Nibelungen*] nous est montrée l'image de ce qu'a été l'essence, la manière de penser et de sentir de nos ancêtres, telle que la légende nous la fait connaître aux alentours de 500 [12].

12. G. Ehrismann, *Geschichte der deutschen Literatur bis zum Ausgang des Mittelalters*, 2ᵉ partie, Munich, 1935, p. 122.

Malheureusement cet esprit germanique n'est pas identiquement réalisé dans toutes les œuvres, et même celles qui sont le plus fidèles à cette origine contiennent encore des éléments étrangers, de sorte qu'on aboutit à une hiérarchisation selon la teneur en esprit germanique : ainsi, dans *la Chanson des Nibelungen* l'élément germanique serait encore hégémonique, dans *le Poème de Kudrun* l'amollissement se ferait déjà sentir, alors que dans *la Mort d'Alphart* il n'y aurait presque plus de traces de l'esprit germanique authentique.

Comme on le voit, le genre est entièrement construit à partir d'une *projection rétrospective* : on isole dans les textes pris un à un les éléments qui sont censés se rapporter de près ou de loin à cette *germanische Weltanschauung* des alentours de 500 après Jésus-Christ. Il faut souligner que ces éléments ne constituent nullement une classe de ressemblances textuelles entre les diverses œuvres, mais sont en relation un à un avec cette *Weltanschauung* postulée. Ce qui est ainsi construit, c'est un genre purement imaginaire, en fait un texte idéal dont tous les textes empiriquement réels ne sont que des échos plus ou moins lointains. Dans le meilleur des cas une telle démarche nous fait découvrir quelles sont les sources de certains éléments thématiques de sorte que le genre n'est ni celui des textes ni celui du *Stoff* (matière) de ces textes, mais tout au plus celui de certains éléments thématiques postulés comme source.

Or on a pu montrer entre-temps que ce « genre », qui avait fait couler tant d'encre patriotique et nationaliste, est textuellement parlant inexistant. Dans un texte bref, mais décisif, Heinz Rupp s'est livré à un démontage en règle de l'épopée héroïque, cela tout simplement en décidant de mettre provisoirement entre parenthèses les « acquis du passé » (c'est-à-dire la tradition universitaire), et de s'en remettre aux textes eux-mêmes [13]. En précisant et en amplifiant les conclusions de Rupp on peut montrer notamment que :

13. H. Rupp, « *Heldendichtung* » *als Gattung,* dans *Beiträge zur deutschen Philologie,* vol. 28. Giessen, 1960, p. 9-25.

– l'opposition épopée héroïque-épopée arthurienne est logiquement inconsistante, puisque dans le premier cas le genre est
défini par ses sources, alors que dans l'autre cas la définition
repose sur la présence d'un même personnage. On pourrait tout
au plus opposer l'épopée héroïque (d'origine germanique) à une
épopée d'origine celtique. Du même coup l'épopée héroïque
perd son privilège d'être plus « primitive », plus proche de
l'origine, que l'épopée dite courtoise ;

– la thèse d'une opposition entre un genre épique héroïque et
un genre épique courtois qui existeraient simultanément au
XIIIᵉ siècle allemand est empiriquement réfutable : il existe
autant de ressemblances textuelles entre les textes dits héroïques *et* les textes dits courtois qu'il en existe entre les divers
textes dits héroïques *ou* les divers textes dits courtois (et pour
être plus précis encore : ce sont dans les deux cas les *mêmes*
ressemblances). Par exemple, contrairement à ce qu'affirme la
vulgate théorique, l'élément merveilleux n'intervient pas moins
dans les textes « héroïques » que dans les textes « courtois [14] ».
A l'inverse, les thèmes de l'héroïsme et de la fidélité ne jouent
pas un rôle plus grand dans les premiers que dans les seconds [15] ;

– dès que l'on cesse de construire un genre à partir des
sources supposées de certains éléments thématiques pour se
laisser guider par le réseau de ressemblances textuelles (formelles, narratives et thématiques) qui se tisse entre les divers
textes dits héroïques et les divers textes dits courtois, le fantôme
d'une épopée héroïque allemande s'évanouit totalement :
l'ensemble de cette littérature épique du XIIIᵉ siècle allemand,
qu'elle insère des thèmes d'origine germanique ou d'origine

14. Ainsi dans *le Poème de Kudrun,* le Vogel Greif, c'est-à-dire le
Griffon, joue un rôle considérable.
15. A l'exception de certains passages de *la Chanson des Nibelungen,*
l'élément héroïque est tellement affaibli dans tous ces textes que la
vulgate est obligée de recourir massivement à la thèse de la dégénéres-
cence. Ce qui est évidemment un constat d'échec. La même constatation
s'impose quant à la prétendue absence d'éléments chrétiens dans
l'épopée héroïque, opposée à une tout aussi mythique christianisation
totale de l'épopée arthurienne.

celtique, forme un même genre épique, sorte de littérature de
consommation courante (pour les cours des petits nobles
allemands) et qui mélange les sources thématiques les plus
diverses. Stylistiquement elle se situe au carrefour de la
*Spielmannsepik* et de la haute littérature épique des Wolfram
von Eschenbach et autres Hartmann von Aue. Outre ce
syncrétisme stylistique, le genre se caractérise par l'anonymat de
ses textes, par la constance de certains personnages et par une
thématique elle aussi syncrétique, puisqu'elle vise à fondre les
traits héroïques (issus soit des anciennes traditions germaniques
ou celtiques, soit des chansons de geste) avec des traits courtois
tels que la *Minne*. En somme cette littérature épique est une
littérature de transition qui prépare la voie à la littérature
romanesque, tels le roman d'amour (par exemple *Flore und
Blanchefleur* de Konrad Fleck), le roman conjugal (comme *Mai
und Beaflor*), etc. Ainsi les traits héroïques ne définissent pas la
nature d'un genre, mais indiquent uniquement un des multiples
éléments qui entrent dans un genre fondamentalement syncrétique, à l'image sans doute de la mentalité du public qu'il vise.

Il me semble que cet exemple illustre bien ce que j'entends
par la notion d'extériorité générique : c'est la procédure qui
consiste à « produire » la notion d'un genre non à partir d'un
réseau de ressemblances existant entre un ensemble de textes,
mais en postulant un texte idéal dont les textes réels ne seraient
que des dérivés plus ou moins conformes, de même que selon
Platon les objets empiriques ne sont que des copies imparfaites
des Idées éternelles. Les relations de parenté jouent alors entre
ce texte idéal et tel ou tel élément de tel ou tel texte réel
isolément, sans que l'ensemble des traits ainsi dégagés tisse un
ensemble de ressemblances entre les différents textes réels.
L'épopée héroïque est certes un genre, mais non un genre
littéraire du XIIIᵉ siècle : elle est un genre métalittéraire du
XIXᵉ siècle, un genre de la *Germanistik*.

3. L'idée du genre comme entité extratextuelle et fondatrice
des textes reçoit un semblant de plausibilité dès lors que l'on

considère le texte comme un *analogon* d'objet physique. Ce qu'on appelle la conception du texte-organisme [16] a entre autres fonctions celle de cimenter cette analogie entre texte et objet physique, cette réification — au vrai sens du terme — du texte. Cette analogie, voire identification pure et simple, est en désaccord complet avec la phénoménalité propre de la textualité en tant que dimension linguistique, phénoménalité qui n'est jamais celle d'un système clos mais plutôt celle d'une chaîne ouverte. C'est là un premier fait qui me semble peser lourd : même si la métaphore de l'organisme physique ne prétend pas expliquer le fonctionnement linguistique du texte, mais uniquement sa structuration comme « système sémiotique secondaire », on peut s'interroger sur le statut d'une conception qui fait si peu de cas de la phénoménalité linguistique [17].

Une deuxième considération me semble tout aussi décisive : les théories génériques ontologiques admettent implicitement que l'empiricité se réduit à l'univers des objets physiques. Si l'on circonscrit au contraire l'empiricité par le terme beaucoup plus adéquat de *fait (Tatsache),* on voit bien qu'un texte, tout en participant du monde des faits empiriques, n'est nullement obligé d'être un objet physique. Il est un fait communicatif spécifique, c'est-à-dire un ensemble complexe formé (au moins) par un canal de communication à structure donnée et un acte (ou un ensemble d'actes) communicatif(s) actualisant ce canal [18].

L'abandon de la thèse du texte-*analogon* d'objet physique a plusieurs conséquences. D'abord la conception qui veut que le texte littéraire soit un système autonome clos et unifié, relevant

16. Conception qui remonte à la plus haute Antiquité mais qui ne devient vraiment pertinente que dans le cadre des théories esthétiques romantiques.
17. Une des fonctions de la fiction d'un « langage poétique » opposé au langage commun est peut-être de masquer ce décalage entre la phénoménalité linguistique et la théorie littéraire.
18. Certes, le support de tout texte est un objet physique, du moins aussi longtemps qu'il s'agit d'un texte écrit (le flux acoustique d'un texte lu, par exemple à la radio, n'est pas un objet mais plutôt un phénomène physique).

uniquement d'une lecture immanente et non référentielle, perd
sa force d'évidence naturelle. Au lieu de l'accepter comme
supportée par quelque essence secrète de la littérarité, on y
verra plutôt un modèle de lecture, c'est-à-dire un fait prescriptif.
Il s'agit donc d'une lecture possible, fondée à la fois sur des
traits structurels du canal de communication *et* sur un algorithme de lecture tel qu'il est devenu hégémonique depuis l'âge
romantique. Ainsi, lorsque M. Riffaterre affirme « que le
référent n'est pas pertinent pour l'analyse et qu'il n'y a aucun
avantage pour le critique à comparer l'expression littéraire à la
réalité et à évaluer l'œuvre en fonction de cette comparaison »,
il faut y voir un énoncé prescriptif proposant un modèle de
lecture, et en tant que tel il est parfaitement justifié ; par contre
j'ai tendance à rester sceptique lorsque je lis le titre de l'essai
dans lequel cette affirmation s'insère, à savoir « L'explication
des faits littéraires [19] », titre qui semble indiquer que Riffaterre
pense réellement non pas proposer *un* modèle de lecture, mais
exposer *le* modèle explicatif de la nature d'un objet physique qui
serait ici l' « œuvre » (littéraire).

Je ne mets pas en doute le fait que le modèle de lecture
proposé par Riffaterre (ou plutôt : repris par lui de la tradition
romantique) soit plus riche que le modèle référentialiste, ne
serait-ce que parce qu'il prend en compte la positivité du fait
textuel. Par ailleurs ce modèle est aussi en accord sinon avec les
contrats de lecture que proposent tous les textes littéraires de
tous les temps, du moins avec le contrat de lecture que
proposent de nombreux textes de certaines époques [20]. Mais
tout cela ne nous donne nullement le droit de dire que la lecture
immanente *explique* le texte littéraire, comme on explique la

19. Voir M. Riffaterre, *La Production du texte,* Paris, Éd. du Seuil,
1979, p. 19.
20. Ainsi beaucoup de textes se proposent comme des *fictions,*
d'autres, non représentatifs, se proposent comme textualité pure, etc.
Mais les exemples inverses abondent aussi de textes qui, dans leur
contrat de lecture (préface ou *incipit* par exemple), proposent des
lectures référentielles, puisqu'ils prennent soin d'affirmer qu'ils racon-
tent une histoire vraie.

constitution d'un objet physique, puisqu'en tant que fait de communication le texte possède cette particularité propre qu'il n'est pas quelque chose qui est à expliquer, mais quelque chose qui est à lire et, éventuellement, à interpréter. Or toute lecture est une résultante d'au moins deux facteurs, à savoir deux intentions[21] ou stratégies communicatives, celle de l'encodeur du texte et celle du décodeur. Elles peuvent se recouvrir partiellement, mais leurs relations comprennent nécessairement des éléments plus ou moins aléatoires, ne serait-ce que parce que dans un texte il n'y a pas de *feed-back* en acte, contrairement à ce qui se passe dans une conversation de vive voix entre deux interlocuteurs. Cela est particulièrement net dans certaines formes de poésie lyrique, et je me demande si, partiellement du moins, la frénésie interprétative qu'elles provoquent ne résulte pas de l'*horror vacui* qui saisit toute lecture devant un texte refusant de thématiser son intentionnalité communicative, et provoquant par là même une sorte de suspension provisoire du sens, ou plutôt de l'activité sémantique.

S'il est vrai que le modèle de lecture immanentiste est plus riche que le modèle référentialiste, cet avantage de la lecture romantique sur la lecture classique est partiellement aboli par le fait que la lecture classique ne se bornait pas à être référentialiste (il faudrait d'ailleurs préciser que ce référentialisme était généralement au service d'une lecture éthique), mais était aussi largement dirigée vers la transtextualité[22], en l'occurrence la généricité. Or la lecture transtextuelle constitue un enrichissement par rapport à une lecture purement

21. Le terme d' « intention » ne vise pas tellement l'acte psychologique d'un individu, mais l'intentionnalité inhérente au texte (ou au modèle de lecture) et donc se manifestant par des traits textuels propres (par exemple le contrat de lecture). C'est dire qu'il s'agit d'une intention institutionnalisée.
22. Je rappelle que le terme a été forgé par G. Genette, *Palimpsestes, op. cit.* Il est peut-être temps aussi d'avouer que sans ce livre les pages qui suivent n'existeraient pas, du moins pas sous leur forme actuelle.

immanente, ne serait-ce que parce qu'elle réinsère le texte individuel dans le réseau textuel dans lequel il est pris et duquel la lecture immanente l'isole artificiellement.

Si l'on suit la terminologie proposée par G. Genette, la généricité (appelée *architextualité*) n'est qu'un des aspects de la transtextualité qui comprend encore la paratextualité (rapports d'un texte à son titre, son sous-titre, plus généralement son contexte externe), l'intertextualité (la citation, l'allusion, etc.), l'hypertextualité (rapports d'imitation/transformation entre deux textes ou un texte et un style) et la métatextualité (rapports entre un texte et son commentaire). En tant que modèle de lecture, la transtextualité active davantage d'aspects textuels que la lecture purement immanente, sans parler du fait qu'elle permet une prise en compte de la dimension institutionnelle de la littérature en tant qu'ensemble de réseaux textuels.

Un autre avantage d'une approche transtextuelle réside dans le fait qu'elle apporte un démenti à l'idée largement répandue selon laquelle le texte dans son intériorité pure constitue quelque chose comme une solide tranche de réalité douée de son sens unique et définitif que le commentaire n'aurait qu'à « découvrir [23] ». Pour prendre un exemple, on ne lit certes pas de la même manière *le Christ aux Oliviers* de Nerval lorsqu'on recourt à une lecture purement immanente et lorsqu'on le lit en tant qu'hypertexte du *Discours du Christ mort du haut de l'édifice du monde* de Jean Paul. Le paratexte détermine de

---

23. Déjà au niveau de la signification (au sens linguistique du terme) l'univocité sémantique n'existe que comme cas limite et exige très souvent le recours à des éléments contextuels ou pragmatiques. Au niveau de l'interprétation, la non-détermination univoque est bien entendu encore beaucoup plus prononcée, sauf dans le cas d'allégorèses institutionnalisées, telles qu'on les trouve massivement au Moyen Âge et à la Renaissance. L'énorme importance historique des différentes théories de l'interprétation, des Pères de l'Église à l'herméneutique, n'est pas un argument contre la thèse de l'absence de structuration symbolique univoque de la plupart des textes, mais plutôt en sa faveur. Au sujet de ces problèmes, voir T. Todorov, « La lecture comme construction », *les Genres du discours*, Paris, Éd. du Seuil, 1978, et surtout *Symbolisme et Interprétation*, Paris, Éd. du Seuil, 1978.

même en partie le mode de lecture : voir figurer le poème sous le titre collectif de *Chimères* oriente la lecture dans une direction bien différente de celle indiquée par le titre collectif *Mysticisme* (dans *les Petits Châteaux de Bohême*[24]). Tel étant le cas, une lecture purement immanente du texte de Nerval est nécessairement appauvrissante, puisqu'elle n'exploite qu'une partie des potentialités communicatives[25] de son texte-objet. Certes, en laissant de côté le problème des variantes textuelles, il faut admettre qu'aucun de ces facteurs hyper- ou paratextuels ne touche à la substance signifiante de la chaîne linguistique : « Quand le seigneur [...] qui donna l'âme aux enfants du limon. » Mais cela n'est pas un argument en faveur d'une lecture purement immanente, puisque, comme toute lecture esthétique moderne, elle vise la symbolisation « au-delà » de la signification. Or, on ne peut guère nier la pertinence à ce niveau des facteurs transtextuels pour la constitution même de l'interprétation symbolique qui, en dehors de la structure textuelle, se fonde aussi toujours (fût-ce de manière implicite) sur des indices transtextuels (éléments architextuels : l'appartenance générique, etc. ; éléments paratextuels : lieu de publication, titre, épigraphe, etc. ; éventuellement, éléments hypertextuels : texte-source, ou éléments métatextuels : tradition du commentaire universitaire, etc.).

4. Genette propose de subsumer la généricité sous la catégorie plus générale de l'architextualité, qui comprend l' « ensem-

24. Autre élément paratextuel important : la mention « Imité de Jean Paul » qui précédait le poème lors de la publication dans *l'Artiste* est remplacée par une épigraphe tirée du texte de Jean Paul dans les éditions ultérieures, changement où s'indique toute la problématique de l'imitation *vs* la recréation.
25. C'est à dessein que j'emploie le terme très vague de « potentialités communicatives », qui a l'avantage d'éviter toute détermination apriorique quant à la nature de ce qui se dit ainsi à travers le texte. Même la littérature la plus farouchement opposée au langage utilisé comme monnaie d'échange (communicatif) ne saurait y échapper, tout au contraire même : à preuve, la prolifération des métatextes consacrés à la poésie de Mallarmé.

ble des catégories générales, ou transcendantes [...] dont relève chaque texte [26] », et notamment, à côté de la généricité, les types de discours et les modes d'énonciation. Il me semble pourtant qu'il y a une différence cruciale entre l'architextualité et les autres formes de transtextualité : chaque hypertexte possède son hypotexte, chaque intertexte son texte cité, chaque paratexte son texte qu'il enveloppe, chaque métatexte son texte-objet, alors que s'il y a bien de l'architextualité, il n'y a par contre pas d'architexte, sinon en un sens métaphorique. Les catégories de l'intertexte, du paratexte, du métatexte et de l'hypertexte définissent des couples relationnels de textes [27], alors qu'il n'en est rien dans le cas de l'architextualité.

On serait tenté de dire alors que l'architextualité définit plutôt une relation d'appartenance. Mais ici une deuxième difficulté surgit, non plus entre l'architextualité et les autres modalités de la transtextualité, mais à l'intérieur de l'architextualité elle-même, entre la généricité et les deux autres termes que G. Genette lui adjoint : les types de discours et les modalités d'énonciation. Dans le cas des modes d'énonciation et des types de discours, nous avons bien une relation d'appartenance [28], puisque tout texte appartient en effet soit au mode narratif, soit au mode dramatique, soit au mode mixte, de même qu'il appartient à tel ou tel type de discours [29]. On peut exprimer la même chose en disant que ces deux catégories (avec leurs divisions) définissent (en compréhension) des classes de textes. En ce qui concerne la composante générique, l'affaire est plus compliquée, et j'y vois l'indice d'une non-homogénéité de ces

26. *Introduction à l'architexte, op. cit.*, p. 87, et *supra*, p. 157.
27. Le fait qu'un hypertexte par exemple puisse posséder plusieurs hypotextes ne change rien à ce rapport relationnel : un seul terme (texte) peut former des couples relationnels avec plusieurs autres termes (textes).
28. Rien ne s'oppose *a priori* à ce qu'un texte appartienne à plusieurs de ces catégories (du moins en ce qui concerne les types de discours).
29. Un tout autre problème est évidemment celui de la genèse d'un certain type de texte à partir d'un certain type de discours. Voir à ce propos T. Todorov, *Les Genres du discours, op. cit.*

trois sous-groupes de l'architextualité. Certes, en tant que catégorie de classification rétrospective, la généricité elle aussi fonctionne comme relation d'appartenance, et à ce niveau-là l'homogénéité serait donc sauvegardée. On pourrait alors se limiter à cet aspect de la généricité en postulant explicitement que cette catégorie n'est rien d'autre qu'une notion de classification.

Mais ce faisant on évacuerait un aspect important de la généricité, à savoir son caractère opératoire au niveau des textes. Il y a, au niveau de la productivité textuelle, une différence de régime essentielle entre la généricité et les modes d'énonciation (ou les types de discours). Le choix d'une modalité d'énonciation est un préalable de tout texte, et ce dernier n'a guère d'action en retour sur l' « allure » de la modalité d'énonciation choisie : la détermination est à sens unique, ce qui fait précisément que tel ou tel texte peut être dit appartenir à telle ou telle modalité d'énonciation. Dans le cas de la composante générique, au contraire, on doit dire que *tout* texte modifie « son » genre : la composante générique d'un texte n'est jamais (sauf exceptions rarissimes) la simple réduplication du modèle générique constitué par la classe de textes (supposés antérieurs) dans la lignée desquels il se situe. Au contraire, pour tout texte en gestation le modèle générique est un « matériel » parmi d'autres sur lequel il « travaille ». C'est ce que j'ai appelé plus haut l'aspect dynamique de la généricité en tant que fonction textuelle. Cet aspect dynamique est aussi responsable de l'importance de la dimension temporelle de la généricité, son historicité.

Cela me ramène à la confusion à laquelle je faisais allusion tout au début de ce texte et qui concerne l'identification de deux questions qu'il faudrait au contraire distinguer, à savoir :

(2a) Quelle est la relation qui lie les textes aux genres ?

(2b) Quelle est la relation qui lie tel texte donné à « son » genre ?

La première question concerne la problématique de la classification rétrospective et peut être résolue en termes d'appartenance à une classe de textes. La seconde question, par contre, peut être interprétée de deux manières différentes : soit on parle du texte en tant qu'élément de la classe, soit on en parle en tant qu'objet historique à un moment t. La confusion résulte du fait qu'en général ces deux aspects se trouvent télescopés. Or, le texte en tant qu'il surgit à un moment t n'appartient évidemment pas au genre tel qu'il est constitué rétrospectivement, c'est-à-dire en tant qu'abstrait d'une classe de textes allant de $t^{-n}$ à $t^{+n}$ (sauf le cas limite où le texte étudié dans son contexte historique est en même temps le dernier de la série des textes de la classification rétrospective). Pour n'importe quel texte situé temporellement avant $t^{+n}$, le modèle générique est constitué uniquement par les textes antérieurs, ce qui signifie que le modèle générique textuel n'est jamais (sauf le cas limite dont je viens de parler) identique au modèle générique rétrospectif.

Prenons comme point de départ un genre G formé par la classe textuelle {a,b,c,d,e,f,g}. Ce genre est dégagé sur la base d'une classification rétrospective, c'est-à-dire qu'il n'a été établi qu'au moment où le dernier texte de la série est entré dans le circuit de la communication sociale : ce n'est qu'à partir de ce moment-là que nous pouvons dire que l'ensemble {a,b,c,d,e,f,g} forme la classe définie par G. Si maintenant nous nous demandons quelle est la relation de c, par exemple, au genre auquel il « appartient », il n'est plus licite de prendre comme référence le genre G (non encore pertinent au moment $t^c$), mais le sous-groupe $G^1$, c'est-à-dire le modèle générique au moment $t^b$ (il n'est pas nécessaire que ce modèle comprenne tous les textes antérieurs à $t^b$, c'est-à-dire qu'il peut y avoir non-congruence entre les relations établies par la classification rétrospective et l'efficacité générique textuelle à un moment $t^n$ situé à l'intérieur de l'horizon temporel embrassé par la classification rétrospective). Certes, il demeure toujours possible de se poser la question des rapports de c à G, mais il s'agit d'une question triviale qui appelle une réponse triviale : en tant qu'élément de la classe définie par G, c appartient à G. La réponse est sans grand intérêt parce qu'elle ne porte pas sur la généricité textuelle *in actu*, mais sur la classification rétrospective.

La problématique générique peut donc être abordée sous deux

angles différents, complémentaires sans doute, mais néanmoins distincts : le genre en tant que catégorie de classification rétrospective, et la généricité en tant que fonction textuelle. Le statut épistémologique de ces deux catégories n'est pas identique. La constitution du genre est étroitement dépendante de la stratégie discursive du métatexte (du théoricien de la littérature, donc) : c'est lui qui choisit, du moins partiellement, les frontières du genre, c'est lui qui choisit le niveau d'abstraction des traits qu'il retiendra comme pertinents, c'est lui enfin qui choisit le modèle explicatif (et ce dernier point est décisif puisqu'il concerne le statut conféré à la généricité : le modèle structuraliste par exemple est beaucoup plus puissant qu'un modèle historiciste, le genre aura tendance à s'y constituer en véritable modèle de compétence). Il va de soi qu'au niveau de la classe de textes retenue on a affaire à de simples ressemblances de famille — *Familienähnlichkeiten,* pour reprendre un terme de Wittgenstein. C'est sur cette base que s'exerce la stratégie discursive du théoricien, c'est-à-dire, de nos jours du moins, l'élaboration d'une matrice de compétence permettant de générer les invariants textuels.

L'emploi même du terme de matrice de compétence indique la tendance, assez répandue, à projeter le texte idéal construit sur l'empiricité textuelle et à postuler que les textes ont été générés à partir de cette matrice de compétence. Mais il me semble que, ce faisant, on tombe dans une faute logique (de logique temporelle). C'est la raison pour laquelle je propose de distinguer la généricité du genre et de considérer ce dernier comme une pure catégorie de la classification. Cela ne signifie pas qu'il s'agisse dans le cas du genre d'une catégorie arbitraire : il est fondé lui aussi sur la textualité puisqu'il s'exerce sur des ressemblances textuelles : le genre appartient au champ des catégories de la lecture, il structure un certain type de lecture, alors que la généricité est un facteur productif de la constitution de la textualité.

Qu'en est-il de l'aspect normatif des catégories génériques ? Dans la mesure où la généricité classificatoire (c'est-à-dire le genre) est une catégorie de la lecture, elle contient bien entendu une composante prescriptive, elle est donc bien une norme, mais une norme de lecture. En ce qui concerne la généricité, il faut d'abord penser aux cas où une œuvre littéraire résulte directement de l'application d'une théorie générique, c'est-à-dire d'un métatexte lu non pas en tant qu'ensemble de propositions descriptives mais en tant qu'algorithme textuel : je pense ici aux relations qu'entretiennent *Lucinde,* de Fr. Schlegel, et *Henri d'Ofterdingen,* de Novalis, avec les théories du roman développées par leurs auteurs. Cependant, dans la plupart des cas, la généricité ne résulte pas de l'application d'un algorithme métatextuel, mais d'une reprise plus ou moins transformatrice de l'ossature d'un ou de plusieurs hypotextes : dans ce cas on peut évidemment postuler que ces hypotextes sont des normes, mais ce postulat est superflu. Une troisième possibilité serait celle d'un texte fondé sur une norme de lecture intériorisée (le célèbre horizon d'attente) et qui la transformerait donc en algorithme textuel. Mais on voit bien qu'à travers des détours plus ou moins longs ce cas se ramène au deuxième : d'une part, la norme de lecture se fonde toujours sur des relations textuelles, d'autre part, la relation hypertextuelle spécifique de la généricité, dans la mesure où elle implique généralement plusieurs hypotextes, présuppose la constitution d'une norme de lecture appliquée à ces hypotextes, donc sans doute la constitution d'un genre (classificatoire), norme transformée en algorithme textuel. Chaque texte a ainsi son propre genre. A l'inverse on pourrait aussi dire que le genre en tant que métatexte (les classifications et théories génériques) possède sa propre généricité, c'est-à-dire un algorithme spécifique programmant la réécriture des textes-objets dans le métatexte : la généricité de l'*Esthétique* de Hegel n'est pas identique à celle, par exemple, de l'*Art poétique* de Boileau. Ici on retrouve évidemment le problème des stratégies discursives. Est-il nécessaire d'ajouter que s'il y a des généricités métatextuelles il existe aussi des genres métatextuels : par exemple, le genre « théorie générique de l'idéalisme allemand », fondé sur la classe des textes esthétiques de Solger, Schelling, Hegel, Rosenkranz, etc. ?

Mais que nous postulions ou non de telles normes génériques, l'étude de la généricité textuelle n'en est pas directement touchée, puisque de toute manière celle-ci est « condamnée » à se constituer sur la base de l'établissement de relations textuelles (la même chose vaut pour le genre en tant que classification rétrospective). Avec un peu de légèreté sans doute j'ai employé ici le terme de *relations hypertextuelles* proposé par Genette. Or ce terme semble indiquer une relation *explicite* d'un texte à *un* autre texte, deux conditions trop contraignantes pour rendre compte de la généricité. D'abord la relation générique est souvent (sinon dans la plupart des cas) soit implicite, soit indexée par de simples notations paratextuelles du genre « roman », « récit d'aventures », etc. D'où, sans doute, l'introduction d'un terme spécifique chez Genette, à savoir l'*architextualité,* que je serais tenté de lire comme se referant à ce modèle de lecture transformé en algorithme textuel que nous postulons généralement à la base de la généricité comme productivité textuelle. Mais il s'agit bien là d'un postulat, et s'il y a un architexte, ce ne saurait être que cette sorte de « texte idéal », modèle de lecture, que nous postulons comme intermédiaire entre l'ensemble des hypotextes implicites et l'hypertexte en question.


5. On voit bien où se situe le problème central d'une théorie textuelle de la généricité : alors que dans le cas de l'hypertextualité au sens de Genette on peut découvrir une stratégie discursive explicite liant un hypertexte à son hypotexte, il n'en va pas de même dans la plupart des relations génériques entre textes. D'où évidemment la tentation d'un recours au postulat d'une matrice de compétence. Il y a toujours contrat hypertextuel, mais très souvent il n'y a pas de contrat générique explicite et s'il y en a un il n'est ordinairement pas d'ordre textuel, mais se borne le plus souvent à des indications paratextuelles. Or ce qui nous intéresse, c'est la généricité en tant qu'aspect textuel qui ne doit pas nécessairement s'accorder avec les indications paratextuelles.

En fait le problème est sans doute mal posé : les textes fonctionnant comme modèle générique sont en quelque sorte présents dans le texte par rapport auquel ils remplissent cette fonction, non pas bien entendu en tant que citation (donc intertextualité), mais en tant qu'ossature formelle, narrative, thématique, idéologique, etc. Autrement dit la relation architextuelle que nous postulons est toujours basée sur une relation d'hypertextualité (plus ou moins multiple) *de fait*. Le problème réel ne se pose donc pas au niveau des faits textuels, mais de leur motivation, ou de leur causalité. Or, à ce niveau, le caractère éminemment institutionnel de la littérature, donc la circulation textuelle qui est à la base même de la généricité, doit être pris en compte. Il peut être difficile, dans tel ou tel cas particulier, de retracer le cheminement de cette circulation hypotextuelle (et sa médiation éventuelle à travers des normes de lecture ou des algorithmes métatextuels) aboutissant à la généricité propre de l'hypertexte en question, mais le postulat général d'une telle circulation est la condition *sine qua non* de toute étude de la généricité (et sans doute de toute étude littéraire).

Il me semble d'ailleurs qu'on peut trouver une confirmation paradoxale de cette dimension de la littérature dans le fait que, en ce qui concerne de larges pans de la littérature dite « sérieuse » de l'époque contemporaine, il est très difficile d'établir des classifications génériques, alors même qu'ils se prêtent bien à l'étude de la généricité. La thèse romantique de l'a-généricité de la littérature moderne peut y recevoir une confirmation en même temps qu'une explication triviale : le développement de la circulation littéraire (dû à des causes technologiques aussi bien que sociales) au cours des derniers siècles a comme conséquence une multiplication extrême des modèles génériques potentiels, en sorte que l'activité générique (liée à la réflexivité de plus en plus prononcée de la littérature dite « sérieuse ») très poussée des textes modernes aboutit à une telle multiplication générique que les classifications sont très difficiles à établir.

Ce fait n'est qu'apparemment paradoxal : on a en effet trop souvent tendance à identifier la généricité à un de ses régimes, à savoir le régime de la réduplication, alors que le régime de la transformation générique (donc de l'écart générique) est tout aussi important pour comprendre le fonctionnement de la généricité textuelle. Le caractère hégémonique de l'un ou l'autre régime varie évidemment, que ce soit avec le statut institutionnel (littérature savante/littérature de consommation courante) ou avec l'époque historique (une époque classique tend en général à limiter les modèles génériques, alors que depuis le romantisme la tendance est plutôt à la multiplication). Mais ce sur quoi il faut insister, c'est que les deux régimes, apparemment contradictoires, sont les deux faces d'une même fonction textuelle.

Toutes les ressemblances textuelles ne sont bien entendu pas pertinentes du point de vue générique, sinon la généricité s'identifierait à la totalité des études littéraires si on définit celles-ci comme l'étude des caractères généraux des textes littéraires. Lorsqu'on établit une classification générique ou lorsqu'on étudie la productivité générique d'un texte donné, le problème se pose donc des traits de ressemblance qui seront à retenir comme pertinents pour la spécificité générique.

Je pense qu'un des critères essentiels à retenir est celui de la coprésence de ressemblances à des niveaux textuels différents, par exemple à la fois aux niveaux modal, formel et thématique. Par contre, il ne me semble pas nécessaire d'exiger de l'ensemble de ces traits qu'ils puissent s'intégrer pour former une sorte de texte idéal déterminé dans son unité : cela est sans doute le cas lors de la réduplication générique (ainsi, lorsqu'on lit beaucoup de romans policiers, on en arrive à avoir l'impression que c'est toujours le même), mais lors de la transformation générique les traits retenus (pour la transformation) sont souvent moins intégrés. Ainsi, l'activité de transformation générique exercée par *Don Quichotte* à l'égard des romans de chevalerie ne porte pas sur le modèle complet mais plutôt sur des traits isolés choisis à des niveaux différents : c'est la raison pour laquelle le roman de Cervantès n'est pas un pastiche ni un roman de chevalerie pris négativement, mais « tout autre chose » qui se constitue *entre autres* (donc sans s'y réduire !) à travers une transformation générique.

Le régime de la transformation générique est évidemment le meilleur terrain d'étude pour la généricité, alors que le régime de la réduplication n'est guère intéressant. En ce qui concerne le genre comme classification, il ne permet de bien appréhender que des ensembles de textes liés par des liens de réduplication. Dès qu'il y a transformation générique, la classification y voit soit le début d'un genre nouveau, soit un texte a-générique. D'où la thèse que les grands textes ne seraient jamais génériques. L'étude de la généricité textuelle permet au contraire de montrer que les grands textes se qualifient non pas par une absence de traits génériques, mais au contraire par leur multiplicité extrême : il suffit de penser ici à Rabelais ou encore à Joyce. Que ces traits soient davantage de transformation que de réduplication ne change rien à la nature générique de la fonction textuelle en œuvre. Il y a généricité dès que la confrontation d'un texte à son contexte littéraire (au sens vaste) fait surgir en filigrane cette sorte de trame qui lie ensemble une classe textuelle et par rapport à laquelle le texte en question s'écrit : soit qu'il disparaisse à son tour dans la trame, soit qu'il la distorde ou la démonte, mais toujours soit s'y intégrant, soit se l'intégrant.

Un dernier (?) point : je pense qu'il faut distinguer entre la généricité, et donc aussi les genres, au sens strict, et ce que, faute d'un meilleur terme, on pourrait appeler l' « inventaire des relations textuelles possibles ». La relation générique est une de ces relations, à côté on pourrait citer la relation parodique, la relation de pastiche, la traduction, la réfutation, etc. J'y insiste parce que souvent on considère par exemple la parodie comme un genre, alors que pour moi elle est du même niveau d'abstraction que les catégories de la généricité, de sorte qu'elle ne peut pas en faire partie. La parodie est une relation textuelle possible (elle est de tous les temps et de tous les lieux), alors qu'un genre est toujours une configuration historique concrète et unique. Cela laisse entièrement ouverte la question des rapports entre la relation générique et la relation parodique ou la relation de pastiche.

Je sais bien que toute théorie est grise et que pour pouvoir juger réellement de la valeur éventuelle des suggestions qui précèdent il faudrait les mettre en œuvre dans des études concrètes. Mais je pense que de temps en temps il peut être nécessaire d'essayer de voir un peu plus clair quant à la démarche qu'on se propose de suivre et quant aux résultats qu'on peut en espérer.

Table

IMPRIMERIE BUSSIÈRE À SAINT-AMAND (CHER).
DÉPÔT LÉGAL : JANVIER 1986. Nº 9047 (2634).

# Collection Points

# Collection Points

## SÉRIE ROMAN

# Collection Points

# Collection Points

## SÉRIE BIOGRAPHIE